日本と台湾

なぜ、両国は運命共同体なのか

加瀬英明

文庫のためのまえがき

ロシアのプーチン大統領が、今年二月にウクライナに侵攻した。

この時、私はウクライナ侵攻が中国による台湾日本有事より先に起こったのを、日本がいまだに天佑神助《てんゆうしんじょ》――天つ神、全国の神々である地祇《ちぎ》によって、守られていると感謝した。

もし、中国の習近平主席による台湾日本有事が、ウクライナ戦争よりも先に行なわれたとしたら、日本はまったく準備ができていないから、沖縄県、九州、中国地方が今日のウクライナのような戦禍によって見舞われていただろう。

日本は中国が台湾に手出ししないように、台湾はもちろんのこと、米国、オーストラリア、インド、イギリス、フランス、ドイツ、オランダなどのヨーロッパ諸国などと力を束ねて、台湾をしっかりと守る仕組みを、急いで固めなければならない。

五月に米国のバイデン大統領が、五日かけて就任後はじめてアジアを歴訪した。

韓国、日本を巡ったが、台湾には立ち寄らなかった。

だが、アジア歴訪の目的は、台湾にあった。

アジア訪問中に、バイデン大統領は東京における記者会見で、「中国が台湾を侵攻した場合に、台湾を守るか」と質問されて、「かならず守る」と断言した。

もっとも、これは一九七九年に米中国交正常化が行なわれて以後、米国が台湾に防衛兵器を供給しても、中国を刺激しないように台湾を軍事的に守るかどうか、曖昧《あいまい》にすることが対中戦略の柱になっていた。ホワイトハウスが直《ただ》ちに大統領の発言を訂正した。

これは、バイデン大統領の本音だったろう。

政権の中枢にある人々や、大多数の連邦議会議員の意志でもあった。

もし、台湾が失われることがあったとしたら、日本も、韓国も、中国に靡《なび》かざるをえない。

そうなれば、アジアが中国の覇権《はけん》のもとに置かれて、長い「アメリカの世紀」が終わってしまうことになる。

台湾を中国へ手渡すのを傍観することがあったら、米国はアジアを失うこととなる。

ロシアのプーチン大統領が始めたウクライナ戦争を、二つの国が凝視している。中国と台湾だ。

中国はロシアの失敗から、慌てて教訓を学ぼうとしていよう。

中国は台湾を攻略するために、平均して幅百五十キロある台湾海峡を渡らなければならない。

ロシアが誇る黒海艦隊旗艦『モスクワ』を、ウクライナの対艦ミサイルによって撃沈されたのや、ウクライナ兵が携行用のジェベリン・ミサイル、スティンガー・ミサイルによって、ロシアの機甲部隊に大きな損害を与えているのを、苦々しい思いでみていよう。

台湾は中国に大型兵器をもって対抗できないことを、知っている。

中国の国防予算は公表しているだけでも、台湾の十二倍だ。そこで台湾は対艦ミサイルを積んだ、多数の小型舟艇を配備している。小さな漁港に隠れているから、ミサイルなどによって破壊しにくい。

私はプーチン大統領がウクライナを、長蛇の戦車と装甲車輌の列をつくって侵攻するのを、第二次大戦型の戦いと呼んできた。ウクライナはそれに対して、小型の携行ミサイルを主役とする二十一世紀型の戦いを行なっている。

中国が台湾に対して渡洋作戦を行なう場合に、対岸に大兵力を集結しなければならず、奇襲できない。険しい崖によって囲まれた台湾の地形は、防御《ぼうぎょ》側に有利だ。大兵力を上陸させるのに適した海岸が、十四ヶ所しかない。

そのうえ、台湾海峡を渡るためには気象条件によって三月末から四月いっぱい、九月末から十月いっぱいに限られる。

ウクライナ戦争は、ロシア対ヨーロッパの戦いを、専制主義対自由主義の戦いに変えてしまった。

中国と台湾の戦いも、北東アジアにおける局地戦争ではなく、自由対専制の戦いとしてみられるようになっている。

今日、台湾はアジアにおける模範的な民主主義国家である。

台湾は国民の努力によって、先進工業国となっている。台湾が世界の半導体の九十パーセントあまりを生産している。中国が台湾に襲いかかったら、世界の同情が台湾に集まろう。

中国は米本土から救援部隊の主力が台湾に到着するまでに、台湾を制圧しなければならない。だが、台湾攻略に失敗すれば、政権が倒れることになろう。そのために、台湾侵攻に容易に踏み切れまい。

中国を抑止するためには、自由主義諸国の固い結束、とくに日米同盟が台湾防衛に当たって機能することが必要である。

中国が台湾に襲いかかることによって、台湾有事が発生した場合に、日本をかならず捲《ま》き込む局地戦争になろう。

もし、日本が自衛隊を台湾に対する後方支援だけにとどめようとしたら、世界の物笑いとなる。そして、日米同盟関係が崩壊してしまおう。

台湾は人口二千三百万人の国であり、日本の最西端の国土である与那国島から、よく晴れた日には、目視できる。与那国島の南岸から、台湾まで一一一キロしか、離れていない。

日本にとって、台湾は二つの「ナンバー・ワン」の地位を、占めている。

世界のなかで、日本に対してこれほど、好意を寄せてくれている国は、他に存在していない。二つ目は、台湾は二〇一一（平成二三）年の東日本大震災に当たって、世界のどの国よりも大きな額だった、二〇〇億円を超す義捐金《ぎえんきん》を、国民の手で募って、被災地へ贈ってくれた。

台湾人は、日本が好きなのだ。台湾語で「愛日家《エイリカ》」という言葉があって、日常、よく使われている。

台湾は、日本の存亡がかかっている安全保障にとって、アジアにおけるもっとも重要な国である。

もし、台湾が中国によって呑み込まれてしまうことがあった場合には、日本は南方からの海上交通路を絶たれて、独立を保つことができない。しかし、もし、かりに韓国が敵性勢力によって、支配されることがあったとしても、日本にとって重大な脅威となるものの、日本がすぐに亡びることはない。

これまで、私は台湾を国として、書いてきた。台湾が一つの国家として、現実に存在していることは、疑いがない。

それにもかかわらず、日本は一九七二（昭和四七）年に台湾との国交を絶って以後、台湾といっさいの公的な絆《きずな》を持つことを拒んで、台湾が国として存在していることを、認めないできた。

日本にとって台湾が掛け替えのない、もっとも大切な国であるというのに、日台間には公的な関係がまったく存在していない。これは、日本の安全が日本国民にとって、公的なものでないというのに、均しい。

日台関係は、両国の善意ある国民の交流の絆《きずな》によって、かろうじて保たれている。

〝韓流ドラマ〟が流行《はや》るようになってから、多くの日本国民が李朝五百年の歴史に関心をいだいて、その時代の朝鮮史を取りあげた、さまざまな本が出版されてきた。ところが、戦後、台湾で何が起こったのか、悲哀については、よく知られていない。

台湾人は東日本大震災に当たって、日本国民の苦しみを分かち合ってくれたが、私たちは戦後、台湾の人々が辿《たど》ってきた苦難の歴史について、もっと知るべきだと思う。

日本と台湾国民は、将来を分かち合っている、二つの島国の民である。両国は「運命共同体」である。私は本書のなかで、日本と台湾がきわめて類似した境偶に置かれていることを、詳しく説明している。

どうして、台湾人は日本に対して、これほど強い好意をいだいてくれているのだろうか。

どうして、台湾人は大陸の中国人の眼をもって、日本を見ることがないのか。

台湾人が日本が大好きだというのに対して、韓国は同じ日本の隣国であるというのに、何故《なにゆえ》に、日本に対して深い憎しみを向けているのだろうか。台湾と韓国は、対照的である。

私はこれまで台湾に、一九六〇年代から五〇回は通ったことだろう。

私は中国も、軍や、党の招きによって、しばしば訪れてきた。本書では、台湾と比較することによって、台湾を浮き彫りにすることを、はかっている。

令和四年九月吉日

加瀬英明《かせひであき》

目次

1章

世界で唯一「日本」を理解する国……49

——戦前の日本統治は何を遺《のこ》したか

2章

蔣《しょう》介《かい》石《せき》は台湾で何をしたのか

――知られざる暗黒の国民党統治

3章

米中、日中に翻《ほん》弄《ろう》される台湾　……181

――世界で最も虐げられている国の悲劇

装丁　盛川和洋

台湾の地図

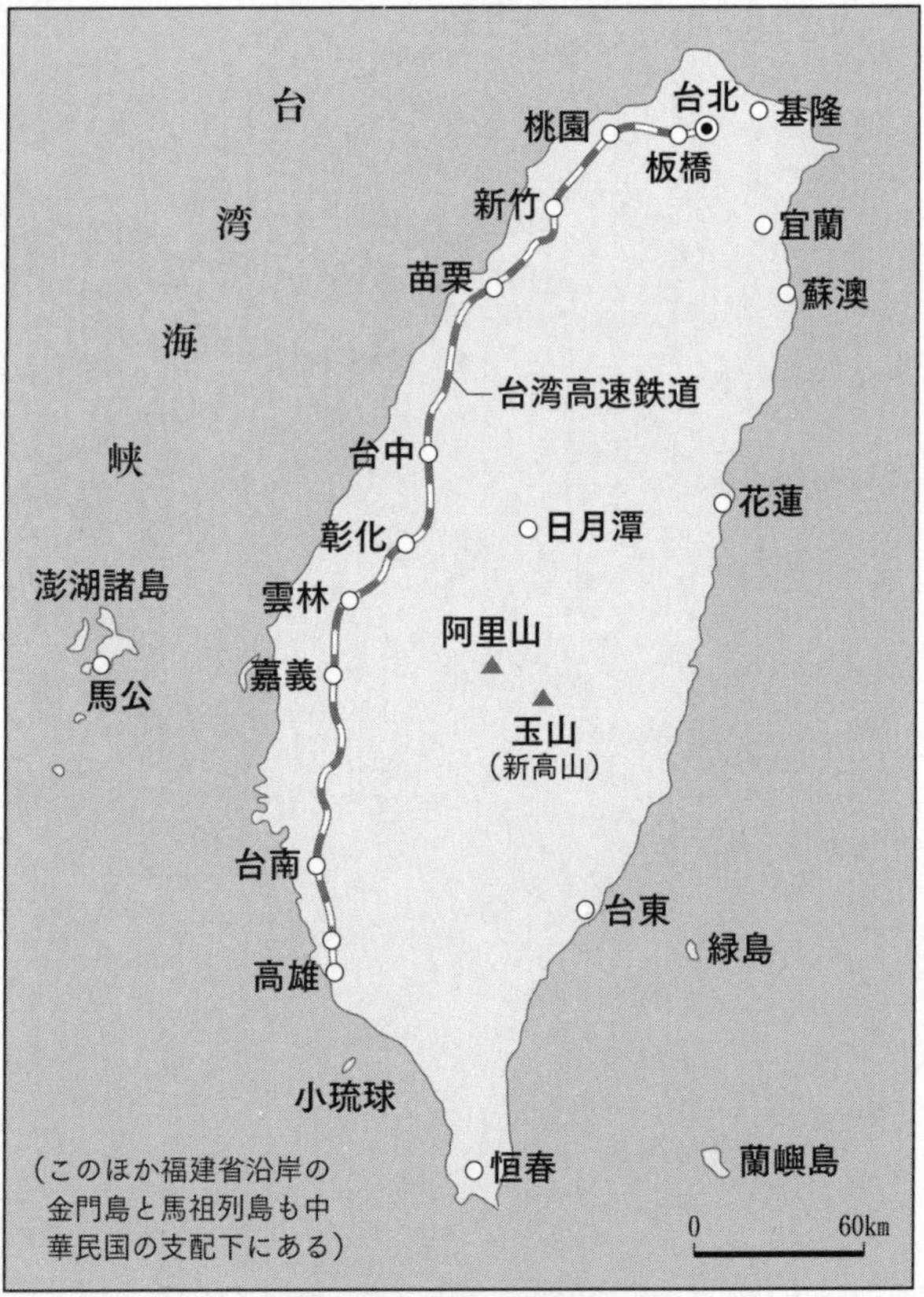

面積：約3万6000km²
（九州と同程度。日本全土の約10分の1）
尖閣諸島から約170km
与那国島から約110km
中国本土（福建省）から約150km

序章

台湾は中国ではない

――その成り立ちと歴史をたどる

戦前のアメリカ人が見た日本統治下の台湾

二〇一二（平成二十四）年十二月に、ワシントンで古本屋を覗《のぞ》いたら、一九二四（大正十三）年に刊行された『GLIMPSE OF JAPAN AND FORMOSA』（グロセット・アンド・ダンラップ社）と題する本が売られていたので、買い求めた。「日本、台湾一瞥《いちべつ》」とでも、訳せようか。

著者はハリー・フランクという紀行作家で、全二三五ページある。帰りの機内で手に取ったが、九〇年あまり前の台湾が、アメリカ人作家の眼にどのように映ったのか、興味深かった。

著者は中国福建省《ふっけん》の福州《フーチヨウ》から、海路で基隆港《きいるん》に到着する。中国から台湾に直航して、タイホクをはじめとする市街が、「あまりに清潔《クリーン》」で「整然《オーダリー》としている」ので、「不可思議《アンカニー》な気分にとらわれる」。

「台湾人が住んでいる区域ですら、中国の街のような、堪えられない不潔《フイルス》さがない。ニューヨークの住宅区よりも、清潔だ」「日本人が厳格《エクザクトネス》なのについては、プロシア人ですら、ここまで実現したことはなかろう。日本人はかつての中国式の生活に、落ち着きと秩序をもたらした」と、驚嘆している。

著者は緑茂るマルヤマ公園を訪れて、台湾神社を見学する。今日ここには、円山大飯店が建っている。

「まるでキョウトを、そのまま移してきたようだ。シントウの神社が市内にいくつかあるが、みな日本の清《クリーン》らかな雰囲気が保たれて、台湾人が拝む極彩色で、喧騒をきわめる廟《びょう》と、まったく対照的《インコムパテイブル》だ」

「台湾海峡の対岸と較べて、人力車の車夫の着衣、編笠《マッシュルームハット》までが清潔で快い」

「中国では鉄道を利用しても、旅といえば無政府状態《アナーキック》だが、台湾の列車に乗って、近代に戻ることができた。（略）車内の検札係は三等車でさえ、〝顔のない〟乗客に対して、まず制帽を脱いでお辞儀をする。（略）中国と違って、日本の美的水準《パルクラチユード》によって、客車の床下が掃ききよめられ、水が打たれている」

「（中国と違って）どこへ行っても、悪臭《オードー》がない」

「（日本が）わずか二〇年あまり努力（注・統治）したことによって、何と大きな変化《グレイト・チェンジ》がもたらされたことか。おそらく、世界の人々はいまだに台湾《フォーモサ》といえば、禁断の山々が密林によって覆われ、野蛮人が蟠踞《ばんきょ》する島だと思っていよう」

本に著者が撮った写真が、多くある。一等車に乗る子連れの台湾人夫婦、三等車の日本髪を結った女性、「縣社臺中《けんしゃたいちゅう》神社」の大鳥居を通して見る鎮木《ちぎ》をのせた拝殿。こざっぱりした服に、草履《ぞうり》の小学生（日本が台湾中に、立派な校舎を建てたと説明されている）、白い制服を着た日本人教師を中心にした、山岳民族の少学生の男女（「つい最近まで、首狩族《ヘッドハンター》だった」と説明）などだ。

読み進んでゆくと、著者は「このところ国際世論のなかで、中国が無秩序《セミ・アナーキー》にあるよりも、しっかりとした勢力の〝保護領〟となったほうがよい——というよりも、必要があるという声が聞こえてくるが、台湾の現状を見ると、日本に統治させたらどうなるか、という展望《クリア・アイディア》をいだかせる。しかし、それよりも天上《セレスティアル》の国（注・中国）に住んでいると思っている人々は、不潔《ダート》や、混乱《ディスオーダー》のほうを好んでいるのだろうか」と、述べている。

というのも、中国が自らそのように称していたために、中味がどうあれ、西洋では長いあいだにわたって、中国人が「セレスティアル（天上人）」、あるいは「天子の国《セレスティアル・エムパイア》」として、知られてきたからだ。

一米国人作家が見た、日本統治下の台湾（その１）

台中神社の大鳥居と参道からのぞむ拝殿

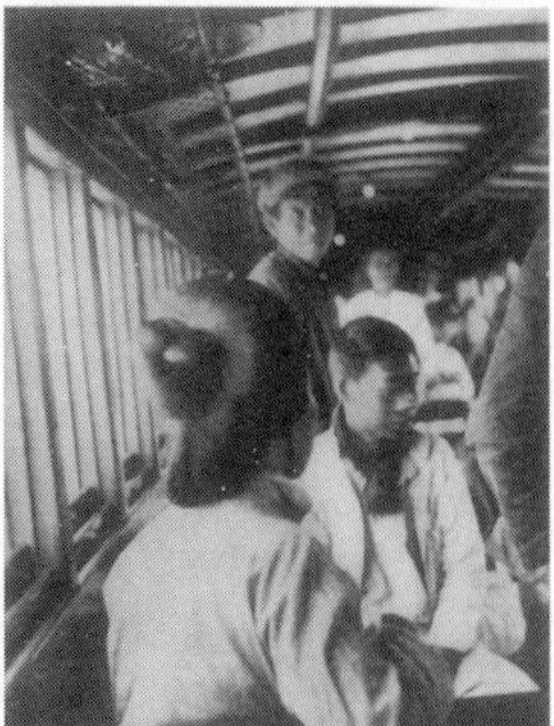

［左］一等車に乗る子連れの台湾人富裕層の夫婦（「日本人富裕層と変わらない」と説明あり）、［右］日本髪風に髪を結った三等車の女性客（「こうした台湾人女性が多くみられる」と説明あり）
GLIMPSES OF JAPAN AND FORMOSA by HARRY A. FRANCK (GROSSET & DUNLAP Publishers、1924) より

漢民族とはまったく違う台湾人の出自

台湾と中国は、民族からいっても、文化をとっても、まったく異なっている。台湾人《タイワンレン》は、大漢民族《ダハンミンズ》、あるいは漢族《ハンズ》の一員でない。

十七世紀後半から、十九世紀にかけて台湾に渡ってきた人々は、漢人ではない。対岸の福建省の南部に住む人々は、閩《びん》と呼ばれた種族だった。東南アジアから中国の沿岸までにわたって住む民である。閩は唐《とう》滅亡後の十世紀、中国で興亡した五代十国の一つの名で、今の福建省にあったが、三代目に南唐《なんとう》によって、滅ぼされた。

今日の台湾人の大多数を占める閩族の末裔《まつえい》は、福佬《ホーロー》とも呼ばれる。閩南《びんなん》語である台湾語は、北京語とまったく違った言語である。

今日、中国を支配している中華人民共和国は、「五〇〇〇年の中華民族の歴史」を受け継いでいるといって、誇っている。五〇〇〇年はあるまいが、漢族は誇大に妄想するのを好む。

秦《しん》（紀元前二二一年〜紀元前二〇六年）の始皇帝が、中国大陸をはじめて統一して、漢字を定めた。それだったら、漢字は秦字《しんじ》、漢民族は秦民族と称するべきだ。

一米国人作家が見た、日本統治下の台湾（その2）

「日本人は彼ら自身でさえ、馴化した台湾のかつての首狩族と、自国人とを見分けることができないという。(写真は)教師と前列に並ぶ二人の子供を除いて、全員山岳民族である。一番背の高い男も、その前にいる小さな少年も、みな同じ『一年生』だ」(原著の説明文のまま)

「かつての首狩族たちは、樟脳畑のキャンプで働くうちに、おおむね馴化している」(原著の説明文のまま)

秦は一六年しか、続かなかった。そのあとに秦を受け継いだ前漢《ぜんかん》、後漢《ごかん》の王朝は、四二〇年にわたって保たれた。一六年では様《さま》にならないから、秦の名称は使わず、漢人とか、大漢民族といっているのだ。

客家《はっか》も数百年ほど前から、台湾に新天地を求めて渡った。

客家も、漢民族と大きく異なっている。台湾では、北京語、台湾語と並んで、客家語の放送局もある。客家語は、台湾語である閩南語とも、まったく違う。今日、台湾の人口二三〇〇万人のうち、客家がおよそ三〇〇万人を占めている。

日本統治が始まってから一〇年後の一九〇五（明治三十八）年、台湾総督府は纏足《てんそく》の健康への害について住民教育を始め、一九一五（大正四）年に纏足を悪習として禁じた。総督府が農業の振興に力を注いだために、纏足が農作業の妨げになるというのも、大きな理由だった。客家については、もともと纏足の習慣がなかった。

客家は漢族による迫害を蒙《こうむ》り、被差別民として大陸を漂って、山間部に住んでいた。地元でなく、他《よそ》からやってきた余所者《よそもの》だったために、客家と呼ばれた。客家は貧しかったので、農耕のために女性の労働力を必要とした。

明《みん》代の十七世紀前半に、大陸からまとまった数の移民が、オランダの東インド会社の手

台湾の民族構成

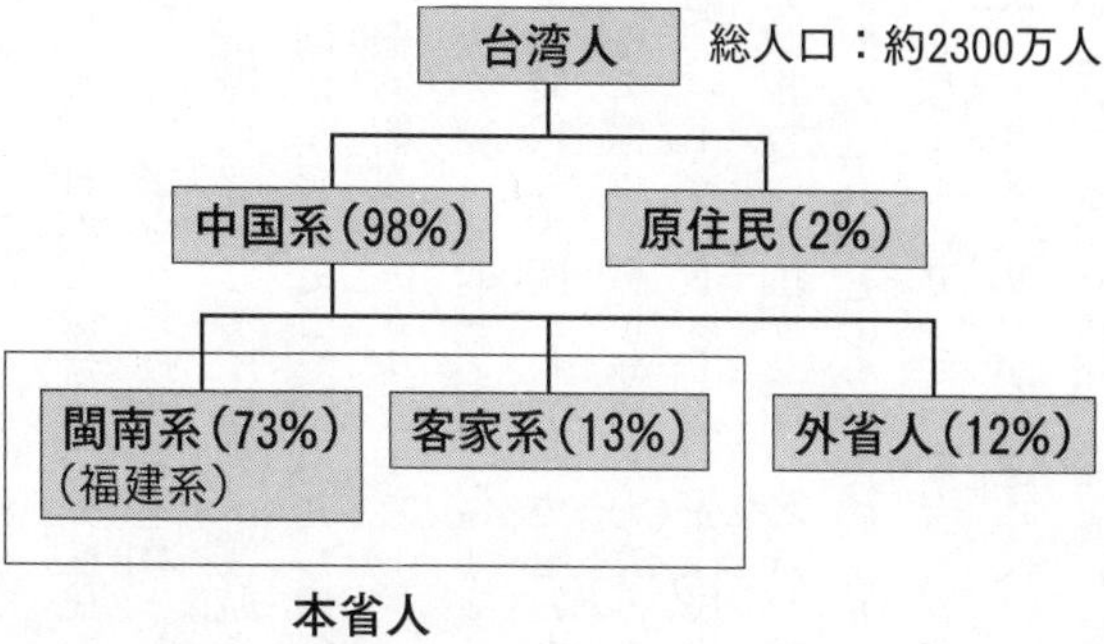

中国は、閩族も客家も漢族に含めている。日本でも、そのような記載が多いが、もともと別の民族であり、それは間違いである。また本省人も大半は、原住民と混血している。

によって、はじめて台湾に入った。オランダは稲作と砂糖黍《きび》を栽培するために、大陸から労働者を誘致した。

台湾には先住民族として、平地に、平埔《ピエポオ》族と呼ばれる平埔蕃《ファン》と、山岳地帯に高山《カオシャン》族の高山蕃《ファン》が住んでいた。埔《ポオ》は閩南語で平地を意味している。

日本では台湾の先住民を、高砂《たかさご》族と呼んでいる。昭和天皇が一九二三（大正十二）年に、皇太子として台湾を訪問された時に、高山蕃のアミ族の男女の踊りを、ご覧になった。それまで先住民族は清《しん》代から「蕃人」と呼ばれていたのを、日本の統治のもとでも引き継いで、そのように呼んでいた。裕仁《ひろひと》親王が「それでは、あまりに気の毒だ」といわれて、「高砂族」と名づけられた。

それ以来、日本では台湾の先住民を、すべて高砂族と呼ぶようになった。閩族も、客家も、悪政から逃れるため、故郷を捨てて、台湾に渡った難民だった。明、清時代を通じて、海外へ渡航を禁じる海禁政策がとられていたために、男ばかりが台湾へ向かった。そこで、男たちは先住民の女性と通婚した。先住民の女性には、彫りが深い、蠱惑《こわく》的な美人が少なくない。

そのために、今日の台湾人の大多数は祖先として、大陸系の祖々父か、その先がいても、その時代に大陸から渡ってきた女性がいない。閩族や客家は、数百年にもわたって、先住民と混血が繰り返されてきた。今日の台湾国民の七〇パーセント以上が、先住民の血を引いているといわれる。北京政権は、中国が「同一多民族的国家《トングウイデウオミンズデグオチャ》」であると称しながら、漢民族が中華民族《ツオンフアミンズ》のなかで、他の五五のどの少数民族よりも高位の「老大《ラオダ》」としている。「老大」は一族のなかで、いちばん上に立っている者で、家長であり、兄貴も意味している。

これは、スターリンがソ連時代に、ロシア民族が、ウクライナからイスラムのチェチェン民族にいたる、ソ連邦を構成した一七〇の民族のもっとも上位に立っているとしたのと、変わりがない。人民中国は、スターリン体制の亜流である。

中国の五五の少数民族のなかに、台湾の先住民である高山《カオシャン》族や、藏《チベット》族、満族、新疆《しんきょう》ウイグル自治区の維吾尔《ウイグル》族、蒙古《もうこ》族、朝鮮族などが入っていても、閩族も、客家も入っていない。

中国人民が常時携帯することを義務づけられている身分証明書には、漢族をはじめとして、それぞれが属している民族名が、記載されているが、漢族といっても、一つの民族ではない。閩族も、客家族も、漢族に含められている。ずさんな概念だ。中国の標準語とされている北京語と、閩南語と、客家語をとっても、相互にまったく通じない。

漢族は長いあいだにわたって、閩族をはじめ辺境の異民族を虫や獣と見下して、虫偏《むしへん》や、獣偏《けものへん》をつけた字を当てて、呼んでいた。水辺に住んでいた民族も蔑《さげす》まれて、三水《さんずい》偏がつけられた。北京政権が「中華民族は一つ」というのは、虚構である。

台湾人のアイデンティティとは

台湾国民の圧倒的大多数が、自分が台湾人《タイワンレン》であるとみなしている。

二〇一二年に、台湾の政治大学選挙研究センターが実施したアンケートによる民意調査によれば、「台湾人のアイデンティティ」について、「あなたは何人か」という質問に対して、五四パーセントが「台湾人」、三九パーセントが「台湾人であり中国人である」と回答し、ただ「中国人」と答えたのは、わずか四パーセントしかいなかった。

この調査は定期的に行なわれているが、「台湾人」と答える者が、毎年、増加しており、「台湾人であり中国人である」、あるいは「中国人」と答える者が減少している。

ところが、北京政権は政治的な必要から、台湾人が漢民族であるとみなして、台湾人《タイワンレン》が存在することを否定している。

もし、中国が台湾を呑《の》み込むことに成功することがあれば、台湾を少数民族の自治区としないで、同じ漢族の台湾省とすることになる。

北京政権が、台湾人を少数民族の一つとして認めた場合には、分離独立を強く求めているチベット、新疆《しんきょう》のウイグル族、モンゴル族と、同じ問題を抱えることになってしまうからだ。

中国は、当局が認めている五五の少数民族の居住地域が、その面積の大半――六〇パーセント以上を、占めている。

「中華民族」という言葉にいたっては、中国が覇権を正当化するために使っている、中身がまったくない、政治的な呼称にしかすぎない。

中華帝国は歴史を通じて、周辺の地域を略取して、膨張しつづけた。

満族による王朝だった清も、その略取と膨張には目に余るものがあった。

十七世紀から十八世紀にかけて、清第四代の康熙帝《こうき》（在位一六六一年～一七二二年）がシベリアのアムール河流域から、外モンゴル、チベットまで支配を拡げ、第六代の乾隆帝《けんりゅう》（在位一七三五年～一七九五年）が東トルキスタン（現在の新疆ウイグル自治区）から、ヒマラヤ山脈を越えてネパールまで攻略して、中華帝国の版図《はんと》を大きく拡げた。乾隆帝は今日でも中国において、「十全の武功《シチエンウコン》」を収めたとして、称えられている。

新疆の「疆」は、「さかい」「境界」を意味している。中華帝国の「疆（境界）」は、武力によって、つねに膨張してきた。

一九七二（昭和四十七）年に、田中角栄《たなかかくえい》首相が北京に入り、周恩来《しゅうおんらい》首相と会談して、日中国交正常化が行なわれた。

この時に、周首相が田中首相に向かって、日本が中国を侵略して、「日本軍によって、一一〇〇万人の中国人が殺戮された」と述べ、どこで何人が殺されたと、くどくどと数字を挙げて、詰め寄った。

田中首相が腹にすえかねて、「あなたがたも、日本に攻めて来たことがあったが、上陸に成功しなかった」と、切り返した。

すると、周恩来が「それは、元寇《げんこう》のことをいうのか。あれは、わが国ではない。蒙古がやった」と、いい逃れた。

田中首相が「来寇した軍勢の多くが、中国の福建省からやって来た。二回とも台風によって全滅した」と、反論した。周首相が狼狽《うろた》えて、「さすがに、田中先生はよく勉強されている」といって、誤魔化したので、その場がおさまった。

周恩来にとって蒙古族は、中華民族ではなかったのだ。はからずも、本音が露呈してしまった。この応酬《おうしゅう》は、田中首相の回想による。

習近平《しゅうきんぺい》国家主席が、「中華民族の偉大な復興」をさかんに唱えているが、中華帝国によるかつての華夷《かい》秩序による、覇権主義の復活を目指している。

台湾の先住民族は、オストロネシア族

地図で見ると、台湾は台湾海峡を挟んで、中国大陸から平均して一五〇キロ離れた東シナ海に浮かんでいる。そこで多くの人々は、台湾が地理的にも、もともと中国大陸の一部

であると思っておられるかもしれない。

それは、誤っている。大陸の一部でなかったから、十七世紀に入るまで、大陸から人々が渡ってくることは、ほとんどなかった。

台湾は大陸の一部であるよりも、日本からインドネシアのボルネオ島まで連なる、長い列島に属している島々の一つである。

地図をひろげて、ご覧いただきたい。九州から沖縄県の南西諸島の最西端に位置している与那国《よなぐに》島から、台湾、フィリピン群島、インドネシアのボルネオ島まで、点々と大きな島や、小さな島が列をつくっている。与那国島から晴れた日には、台湾を肉眼で見ることができる。

台湾の先住民族は太古の昔に、南方からこの列島を伝わって渡ってきたマレー・ポリネシア族などのオストロネシア族に属している。

台湾の先住民族である高山族と平地に住む平埔《ピエポオ》族は、それぞれ九つと一〇の部族に分かれる。これらの先住民が話す言葉は、マレー・インドネシア語、フィリピン諸語と同じ語族に属している。

台湾は芋《いも》のような形をして、大洋に浮かんでいる。面積は三万六〇〇〇平方キロになるが、これは九州のおよそ八五パーセントに相当する。

なぜ、台湾が「台湾」と呼ばれるようになったのか、諸説がある。

一六二四年にオランダ人が、今日の台南に通商を目的として城砦を築いた時に、先住民が外来人を指して、「タイユアン」「アイアン」「タイヤン」と呼んだことから発しているか、またはオランダが砦《とりで》を設けた場所に住んでいた先住民の部族名か地名だったのが、訛《なま》ったという説が有力である。オランダの古い文献によれば、「タイユアン」は、オランダ人が最初に覚えた、先住民の言葉だったといわれる。

後になって大員《ターユアン》、台員《タイアン》、台湾《タイワン》などの漢字が宛てられた。

中国語の「東蛮《トウングファン》」が訛《なま》って、台湾になったという説もある。

あるいは、明朝が十七世紀末に台南から台湾西部の平地を治めた際に、段々のような山岳という意味で、台湾と呼んだとも説明される。

いずれにせよ、中国が台湾と呼ぶようになったのは、かなり最近のことである。

結局のところ、台湾という名が、オランダの占領時代から発しているという説が、もっとも正しいものだと思われる。

今日でも、台湾南部に住む先住民は、台湾を指して「ペカン」と呼んでいる。インド帝国が東南アジア諸島に勢力を膨張させていった過程で、迫害を蒙ったオストロネシア諸族は新天地を求めてカヌーに乗り、島伝いに東へ向かって、台湾に辿り着いた。「ペカン」は「長いあいださ迷った末に着いた、安住の地」を、意味している。

日本では、台湾は「高山国《たかさご》」「高砂国《たかさぐん》」として、知られていた。ポルトガルの文献にも、Tacasagun と記されている。

台湾には、標高三〇〇〇メートルを超える高い峰が連なっていることから、日本で高山国《たかさご》と呼ばれた。東部を中央《チヨンチヤン》山脈が南北に、その西を雪山《シユエンシヤン》山脈、玉山《ユイシヤン》山脈が並行している。そこには富士山よりも高い山が六つあるが、最高峰の玉山《ぎよくざん》は標高三九九七メートルで、日本の富士山より二二一メートルも高い。

玉山は東アジアにおける最高峰であるが、日本統治時代に国内でもっとも高い山として、「新高山《にいたかやま》」と命名された。

台湾と大陸とのかかわりは、十七世紀になってから

十五世紀から朱印船が活躍するようになったのにともなって、多くの日本人が交易のために、今日の基隆や、淡水《たんすい》、安平《あんぴん》、高雄《たかお》などに住んでいた。台湾から主として鹿皮や、砂

糖が輸入されたが、南方との交易の中継地でもあった。

秀吉が一五九三（文禄二）年に、長崎の貿易商の手代で、呂宋《ルソン》貿易に従事していた原田《はらだ》孫七郎《まごしちろう》を高山国《たかさご》に送って、進貢を求める国書を出した。ところが、台湾の日本人社会にまとまりがなく、国書を渡すべき相手がいなかったために、目的を果たすことができなかった。

一六〇三（慶長八）年に、長崎の肥前有馬《ひぜんありま》城主で、キリシタン大名として有名な有馬晴《はる》信《のぶ》が台湾を攻めて、先住民を連れてかえっている。

徳川幕府は一六一六（元和二）年に、台湾を占領しようと企てて、兵船一三隻に三〇〇〇人の兵を乗せて送った。ところが、往路で台風にあったために、失敗している。

中国は、紀元前二世紀以前にまとめられた古典の『尚書《しょうしょ》』のなかで、台湾を「島夷《とうい》」と呼んでいるといって、古来、中国の一部であったと主張しているが、いったい、どの島を意味しているのか、定かでない。

台湾は世界的には、一九六〇年代まで、タイワン（Taiwan）というよりも、フォーモサ（Formosa）として知られた。

フェルナオ・メンデス・ピントといえば、キリシタン宣教師のフランシスコ・ザビエルとも行動をともにし、日本を何度も訪れた冒険商人だが、フォーモサという名は、一五四四年にピントの一行が台湾の西岸を通って、台湾を望んだ時に、随行者が「美しい島だ《イラー・フォルモサ》！」と叫んだことに、由来しているといわれる。

ポルトガル語で「イラー」が島で、「フォルモサ」が「美しい」である。ピントの有名な回想録『放浪記』に、そう記されている。

中国語で台湾は美麗島《メイリタウ》としても知られているが、ポルトガル語の「フォルモサ」を訳したものだ。

一六二六年に短い期間だったが、スペインが台湾北部の今日の淡水、基隆の一帯を占領して、貿易の拠点として堡塁《ほうるい》を設けた。スペイン人は「フォルモサ」を、スペイン語の発音によって、「エルモサ」と呼んだ。スペイン人は一六年後に、オランダによって駆逐された。

このように、台湾が歴史を通じてさまざまな多くの名によって呼ばれてきたことは、どこの国によっても長く占有されることがなかったことを、示している。

オランダが台南の一帯を占領している間に、明《みん》朝が一六四四年に異民族である満族によって倒されて、清《しん》朝と交代した。鄭成功《ていせいこう》が「反清復明《はんしんふくみん》」を掲《かか》げて明朝の復辟《ふくへき》をはかって、兵を率いて台湾に上陸したのが一六六一年。翌年、オランダ人を台湾から駆逐した。

もし、明朝が満族によって倒されることがなかったら、明の旧臣が台湾に渡って、明朝を再興しようとすることはなかっただろう。そして、インドネシアがオランダ人の支配のもとに置かれて、数世紀にわたって、オランダ領東インド諸島と呼ばれたように、台湾もまた、オランダが領有する植民地となっていたかもしれない。

あるいは、その前に徳川幕府が台湾攻略に成功していたら、日本の領土となっていたかもしれない。

あるアメリカの権威あるアジア史専門家は、「台湾に最初の移民村をつくったのは、日本の貿易商人か、海賊だった。今の台南市から遠くないところに『タカサゴ』という村ができ、かなりの数の日本人が定着した。日本人に続いてスペイン人と、オランダ人が来た」と、述べている。

その後、大陸からまとまった数の難民が食い詰めて、台湾に渡ってきた。

大陸から多くの流民が台湾に渡ってきたのは、十七世紀に入ってからのことだった。それまで台湾は長いあいだにわたって、大陸とかかわりがなかった。

中国の「第一列島線」「第二列島線」構想

中華人民共和国は台湾が中国固有の領土であるとして、台湾を回収するために、武力を用いることを躊躇《ちゆうちよ》しないと、主張している。軍事行動をとることがあっても、国内であるから侵略とはならずに、警察行動となるとしている。

今日、中国は九州から、沖縄、台湾、フィリピン、インドネシアのボルネオ島までを結ぶ線を、アメリカの空母や、原子力潜水艦の侵入を拒む海域の「第一列島線」としている。英語では、「アンティアクセス・エリア・ディナイアル」（A2AD、接近阻止・領域阻止）と、呼ばれている。

中国は日本の伊豆諸島から小笠原諸島、グアム、サイパン、パプアニューギニアの線を、「第二列島線」としている。

「第一列島線」と「第二列島線」は、日本を絡《から》め取る蜘蛛《くも》の糸だ。糸を張るためには、尖《せん》閣《かく》諸島を奪わなければならない。

私たちは、尖閣諸島を守るために、軍事力を用いるのに消極的になってはならない。

日本と台湾との、切っても切れない関係

台湾は文化的尺度からみても、中国に属していない。

いったい、文化とは何かというと、文化人類学者のあいだで、論争が絶えない。文化とはいうまでもなく、複雑な概念だ。私なりに定義してみれば、一つの国か、一つの社会の文化は、公徳心をはじめとして共有する価値観、記憶、歴史的体験から、清潔度も含めた習慣、行動様式、未来への期待によって、つくられていよう。

二〇一三（平成二十五）年一月に、岸田文雄《きしだふみお》外相が、台湾は「重要なパートナー」であり、「民主、自由、平和といった基本的価値観を共有している」と、表明した。

日本の政府高官が台湾を「重要なパートナー」と、はっきりと呼んだのは、一九七二（昭和四十七）年の日中国交正常化によって、台湾と断交してから、はじめてのことだった。

日本政府は四〇年以上も、中国を誤って信用するとともに、中国の怒りを買うことを恐れて、台湾についてひたすら沈黙を守ってきた。

岸田外相はごく当たり前のことを述べただけのことだが、これは画期的なことだった。

私はかねてから、もし台湾が滅びることがあれば、日本も滅びてしまうから、日台は一体であると、論じてきた。運命を共にしているというのが、もっともふさわしい。

日本にとって、台湾はアジアのなかで、もっとも重要な国だ。日本が存続するために、台湾が私たちと同じ、自由と民主主義の価値観を分かち合う政権のもとにあることが、不可欠である。

台湾と日本は、中国という龍の喉《のど》に刺さった、二本の大きな骨だ。

日本にとってアジアのなかで、日本の生き死に――存亡がかかっている関係によって結ばれている国は、台湾の他に存在していない。

それにもかかわらず、日本と台湾のあいだには、公的な関係がまったく存在していない。

私たちは日本の国と国民の安全が、公的なものでないとしているのと、同じことだ。

日本の国と国民の安全を、アメリカに丸投げして、経済に専念してきた。そして、台湾の安全も、アメリカに丸投げしてきた。

日本はアメリカ軍の援助なしに、尖閣諸島一つすら、守ることができない。多くの日本国民が、日本が「平和主義国家」であることを誇ってきたが、恥ずかしいことだ。他人に縋《すが》って、分不相応な贅沢《ぜいたく》な暮らしをしているのを、自慢しているのと変わらない。

今日、台湾はアジアのなかで、朝鮮半島と並んで戦争となりうる、もっとも危険な発火点であると、いわれている。

だが、台湾はどこも脅《おど》かしていないし、他国と戦うことも、まったく望んでいない。

その台湾が、戦争の発火点とされているのは、まったく理《り》に適《かな》っていない。

国連憲章は加盟国の資格として、「平和を愛好」する国であることを、規定している。国連憲章の第二章「加盟国の地位」第四条は、「国際連合における加盟国の地位は、この憲章が掲げる義務を受諾し、且つ、この機構によってこの義務を履行する能力及び意志があると認められるすべての平和愛好国に開放されている」と、定めている。台湾はまさに平和愛好国として、世界の手本となるべき国ではないか。

それなのに、人口二三〇〇万人の国家である台湾は、国連に加盟することを阻まれている。いったい、隣国の中国が平和愛好国であると、呼べるものだろうか。

中国が一九七一（昭和四十六）年に、中華民国の安保常任理事国の議席を奪って、国連に加盟した時に、蔣介石《しょうかいせき》政権が台湾として国連に留まるべきだった、という議論がある。

しかし、蔣政権は、国連から脱退した。

もし、国連に台湾政権として留まったなら、蔣政権は中国全土の政権として台湾を統治していたのに、外来政権となってしまい、台湾を治める大義名分を失ってしまうからだ。

台湾は、けっして中国の一部ではない

台湾がその一部にせよ、中国に属していたのは、明朝とそのあとの清朝のごく一時期でしかなかった。

オランダの東インド会社が、台湾を支配する前に澎湖《ほうこ》諸島に拠点をつくって、一六二二年に砦の建設に取りかかった。明朝が澎湖諸島を領土とみなしていたために、出兵してオランダとのあいだに交渉が行なわれた。

この時に、明朝は台湾が領土ではないといって、オランダに台湾へ移るように提案した。そこで一六二四年、オランダは澎湖諸島から撤退して、台湾を占拠した。

東インド会社は、交易と同時に、キリスト教を布教することを目的とした。社員だった宣教師が、先住民のシラヤ族の新港社《しんこうしゃ》のために、新港語をローマ字で表記した新約聖書をつくって、読み書きを教えた。「社」は先住民の集落の単位である。

この時の新港語の新約聖書が現存しているが、新港社の先住民はオランダ人が去った後にも、長いあいだ読み書きができた。いまでは、新港語は消滅している。

宋代（九六〇年〜一二七九年）の『華夷図《かいず》』には、海南島《かいなんとう》が載っているものの、台湾はどこにも描かれていない。清の乾隆帝の治世に編纂された『清史《しんし》』のなかの『外国列伝』は、台湾北部にある鶏卵国《けいらんこく》が日本に属していると、記している。台湾は中国の一部では、けっしてない。

一八七一（明治四）年に、琉球の宮古《みやこ》島の役人など六九人が、那覇《なは》からの帰途に暴風雨にあって台湾南部に漂着し、そのうちの五四人が先住民によって殺されるという、牡丹社《ぼたんしゃ》事件が発生した。

日本政府が清国に抗議した時に、清国は台湾が「化外《けがい》（統治が及ばない）の地」であって、清とはかかわりがないから、貴国が懲罰されればよかろうと、回答している。そのために、日本政府が台湾出兵を決定し、三年後に二〇〇〇人の部隊を派遣して、牡丹社を討伐した。

その直後に、日清両国間で交渉が行なわれて、日本は清が琉球の日本帰属を認めるのと引きかえに、台湾が清に属することを認め、清が牡丹社事件について、日本に五〇万両の賠償金を支払った。

したがって、清は日清戦争に敗れて、台湾を日本に割譲するまでの、二〇年間だけ、台

〈略年表〉台湾の歴史

1544年	ポルトガル船員が台湾を「美しい島」と呼ぶ
1624年	オランダが台湾を占領
1661年	鄭成功がオランダを台湾から追放
1684年	清が台湾を領有し、福建省台湾府とする（消極的統治）
1871年	日本人漂流民が現地の先住民に殺される牡丹社事件起こる
1874年	日本が清の台湾領有を認める。清は台湾積極経営に転換
1885年	台湾は福建省から独立し、台湾省となる
1895年	日清講和条約により、台湾は日本に割譲。台湾総督府設置
1898年	児玉源太郎総督と後藤新平民政長官が、台湾に着任
1930年	八田與一の指揮により烏山頭ダムが完成
1945年	8月15日、日本降伏、台湾領有権を放棄
	12月25日、在台湾日本人の引上げ始まる
1947年	2月27日、市民と警察の衝突から「二・二八事件」勃発
	3月、国民党の増援軍が上陸、台湾人大虐殺を開始
1948年	5月20日、蔣介石が初代総統に就任
1949年	5月20日、戒厳令施行
1950年	1月5日、米大統領トルーマンが台湾海峡不介入を声明
	6月25日、朝鮮戦争勃発
1952年	4月28日、日華平和条約調印
1970年	1月3日、軟禁中の彭明敏が台湾を脱出
1971年	7月9日、キッシンジャーが中国を極秘訪問
	10月25日、中国が国連に加盟、台湾が脱退
1972年	9月29日、日中国交正常化、日華平和条約破棄
1975年	4月5日、蔣介石総統死去。蔣経国が国民党主席に就任
1979年	1月1日、米中国交正常化。米議会が「台湾関係法」制定
1987年	7月15日、38年振りに戒厳令解除
1988年	1月13日、蔣経国死去、李登輝が総統に昇格
1990年	この年、初めて各地で「二・二八事件」記念行事を挙行
2000年	5月20日、「台湾独立派」の民進党・陳水扁が総統に就任
2008年	5月20日、「台中融和派」の国民党・馬英九が総統に就任

湾を領有していたことになる。それまではどの国も、台湾の一部しか支配したことがなかった。

中国は、清が一六八四年から台湾を領有していると主張しているが、一方的に主張しているだけで、統治もごく一部にすぎなかった。第三国によって領有が承認されたのは、一八七四年が最初である。

ましてや、台湾が中華人民共和国の一部であったことは、一度もない。

中華民国も、台湾の法的な主人ではない。中国は『国防白書』のなかで、人民解放軍が台湾の「分離を阻止し、統一を促進する」と唱えているが、台湾が中国から「分離」していることを前提としなければ、「統一」を促進することはできないはずだ。

台湾は人種的にも、歴史的にも、文化的にも、中国に属していない。

台湾は日本統治によって、日本と「価値観を共有」するようになった。台湾は、もう一つの日本なのだ。このような国は、他にはない。なぜ、もう一つの日本を擁護しようとしないのか。

「遮天鉄鳥撲東京富士山頭揚漢旗《チュテンティエニャオプトンチンフシュサントウヤンハンチ》！（我軍機は空を覆い、東京を爆撃して、富士山頂に漢旗〈五星紅旗〉を立てよ！）」

これは最新の「人民解放軍軍歌」だ（読者の便宜のために、北京政権の簡体字を、本字に改めた）。

富士山頂にも、台湾にも、漢旗《ハンチ》を立てさせては、絶対にならない。

二〇一三年三月八日、私は本稿を書きながら、東京ドームからの日本対台湾チームの、WBCのラジオ実況放送を聴いた。アナウンサーが昂奮して、「台湾の旗が揺れています！」と、叫んだ。

「中華民国在台湾」の青天白日旗《チンテイエンパイリー》が、揺れていたのだ。

李登輝《りとうき》総統（当時）が、一九八八（昭和六十三）年に台湾人としてはじめて、中華民国総統に就任してから、蔣介石政権が台湾を占領して、中華民国の亡命政権の占領下に置いた台湾を、「中華民国在台湾」と呼び替えた。

青天白日旗は、孫文が一九一九（大正八）年に広東で、中国国民党を結成した時に、青天白日をまず党章として採用した。一九二八（昭和三）年に蔣介石が中華民国・南京政府を成立させたときに、国旗として採用された。蔣政権が一九四九（昭和二十四）年に台湾に逃げ込むまで、わずか二一年間だけ大陸に翻《ひるがえ》った。

それに対して、中華民国が台湾に移ってから六四年もたつから、中国大陸の中国におけるよりも、台湾の国旗として用いられたほうが、はるかに長い。

私は大陸から台湾へ持ち込まれた旗である青天白日旗を好まないが、一瞬だけ、このなかの「日」が日の丸なのではないかと、思った。

1章

世界で唯一「日本」を理解する国

——戦前の日本統治は何を遺《のこ》したか

タピオカの思い出

私が台湾をはじめて訪れたのは、一九六〇年代のことだった。

台湾は国共内戦に敗れて、大陸から逃げ込んできた蔣介石《しょうかいせき》政権のもとにあった。

台湾の知人に案内されて、台北の街の屋台である夜市《イエス》で、「青蛙下蛋《チンファシャタン》」（青蛙の卵）と呼ばれたタピオカを、はじめて味わった。

数年前にタピオカが日本の若者のあいだで異常なブームとなった。今はブームも落ち着き、もはや定着しているようだ。

もっとも、台湾の夜市では、もう「蛙の卵」ではなく、「珍沫奶茶《ソンチュクイチャ》」（真珠のお茶）と呼ばれるようになっている。

この〝タピオカ・ブーム〟は、大企業や、大手メディアによる宣伝や、広告によってもたらされたのではない。

若者のあいだのSNS（ネット）によって、生まれたものだ。私の栄養士の友人によれば、多くの若者が一日二食しかとらない食生活の変化によって、助けられたという。

若者のあいだで「タピる」（タピオカを飲む）、「タピカツ」（就活、婚活と同じ）という新語が流行っていると、教えてくれた。

産経新聞によれば、「二〇一九年新語流行語大賞」候補の30語のなかに、「タピる」がノミネートされたという。

私はタピオカ・ブームから、若い世代がもはやメディアや、大人《おとな》たちの既存のコンセンサスによって縛られていないことに、関心をいだいた。

日本から台湾を訪れる観光客は、コロナ禍以前の二〇一八年に百九十七万人を数えたが、この十年間でほぼ二倍となっている。台湾に対する好意が増している。

私は台湾へ通って、李登輝《りとうき》総統（当時）の知遇をえたほか、多くの親しい友人をつくった。二〇一四年に、本書が台湾で訳出されて、『日本與台灣』（大都會文化）として出版され、重版を重ねている。

昭和天皇お手植えの桜の里帰り

二〇一九年の十月十九日は、土曜日だった。

天皇陛下がご即位を世界へ宣明された、『即位礼正殿の儀』の三日前に当たった。

この日に、私は拓殖大学におけるシンポジウムで、渡辺利夫前拓大学長と講師をつとめることになっていた。ところが、その十日前に已《や》むをえない事情によって、シンポジウムを欠席しなければならなくなった。

主催者に説明したところ、シンポジウムよりも重要だと理解してくれた。そのかわりに、メッセージを寄せるように求められた。いかがそのメッセージである。


「今週火曜日の産経新聞によって報道されましたが、台湾の政界、経済界の有志が『台湾・桜里帰りの会』を立ち上げられ、日本において令和の御代《みよ》が明けたのを祝って、一九二三年に昭和天皇が摂政宮・皇太子殿下であられた時に、台湾を十二日にわたって行啓され、お手植えになられた、桜、ガジュマル、瑞竹《はちく》の苗木を、日本へ里帰りさせることとなり、今日の同じ時刻にその目録の贈呈式を、明治記念館において行なうことになりました。

台湾側では『台湾・桜里帰りの会』の名誉会長に李登輝元総統の曽文恵《そうぶんけい》夫人、日本側は安倍《あべ》首相の母堂の安倍洋子《ようこ》夫人が就任され、私が会長をひき受けることを求められました。

今日の式典には、『台湾・桜里帰りの会』会長で、台湾政界の重鎮の黄石城《こうせきじょう》先生をはじめ、多くの要路の方々が来京されます。

昭和天皇ゆかりの桜、ガジュマル、瑞竹が、日本へ里帰りすることは、日本と台湾の精神的な強い絆《きずな》を象徴するものです。

台湾の独立と自由を守ることが、そのまま、日本の独立と自由を守ることになります。

香港では自由を渇望する青年男女や、老壮市民が、邪《よこ》しまな北京の共産政権に対して、もう半年近くにわたって、連日、街頭を埋めて果敢な抗議集会を続けています。

香港の自由と民主主義を求める市民たちの人波のなかに、民主主義と人権の象徴として、米国の星条旗、英国のユニオン・ジャック、カナダ、オーストラリアなどの国旗や、台湾の緑の独立旗が掲げられていますが、日の丸がまったくみられないのは淋しいだけではなく、恥ずかしい思いに駆られます。

かつてアジアの解放を理想として、日の丸を高く掲げ、『アジアの盟主』をもって任じた日本国民の気概は、どこへいってしまったのでしょうか。

専制中国の虐政のもとで苦しんでいる、チベット、ウイグル、南モンゴルの人々が、天与の権利である自由を回復しないかぎり、アジアに平和が訪れることはありません。」

明治記念館における贈呈式典では、台湾の駐日大使に相当する謝長廷《しゃちょうてい》・台北駐日経済文化代表処代表をはじめ、日台の関係者が見守るなかで、黄会長から安倍夫人に苗木の目録が贈られた。

その後に、台湾の駐日代表をつとめられた許世楷《きょせかい》元大使と、私が昭和天皇ゆかりの苗木の里帰りに至った経緯と、苗木をどこに植えることになるのかなどについて、説明した。

私は「三日後に迫った即位大礼を祝って、多くの諸国、地域などの代表が来京されますが、台湾だけが即位大礼の前に、このような素晴しい、心がこもった〝前夜祭〟を催して下さり、多くの国民が台湾に深く感謝するでしょう」と、述べた。

そして、「台湾は同じ隣国である韓国が、国をあげて『反日』に熱中して、日本時代に全土に開設した小中高校の校庭の日本原産の樹木を伐採しているのと対照的に、日本に世界のどの国にもみられない、深い親近感を寄せてくれています」と、つけ加えた。

昭和天皇は、大正天皇が重い病にかかられたために、訪台される二年前に二十歳で摂政宮に就任されていた。

台湾では、摂政宮・東宮殿下を島民をあげて歓迎申し上げ、台北市民が今日、見事な桜並木となっている苗木を植え、台南ではガジュマル、屏東では植物のご研究によって知られた殿下が竹の新種を発見され、「瑞竹」と命名されて、お手植えになられた。

私は十年ほど前に、台湾を訪れた時に、台北の副市長が案内してくれたが、「昭和天皇陛下ゆかりの桜並木を誇りにして、市民が大切にしています」と、教えられた。

台南のガジュマルの樹は、いまでは枝を広々とひろげた大樹となって、屏東の瑞竹林とともに、昭和天皇がお植えになった由緒から、観光の名勝となっている。

戦後日本外交の最大の汚点

私は台湾と日本が一蓮托生《いちれんたくしょう》の関係によって結ばれていると、信じてきた。

台湾はインドネシアから日本に至る列島の日本のすぐ隣に位置しており、もし、台湾が敵性国家によって奪われることがあったら、日本が独立を維持できなくなる。

台湾は日本にとって、〝第二の九州〟といえる。偶然だが、台湾と九州の面積はほぼ均《ひと》しい。

日本を訪れる観光客数では、台湾は二〇一八年に四百七十六万人で、中国、韓国について第三位となっている。台湾の人口が二千三百五十万人だから、台湾国民の四人か、五人に一人が日本を訪れている。当然、リピート客が多い。

台湾で行なわれている世論調査では、毎年、日本が「もっとも好きな国」として第一位を占め、アメリカが次いでいる。

だが、私たちは台湾国民が日本へ寄せている、友情に応えているだろうか？

私は昭和四十七（一九七二）年に、田中角栄内閣のもとで日中国交正常化が行なわれ、台湾を切り捨てた時に、月刊『文藝春秋』などの誌上で、この暴挙に強く反対した。中国共産党政権が歴代皇帝といささかも変わらず、権力を私して覇権のみ求めるから、信頼できないと論じた。

あの時の中国はソ連の侵攻に脅えて、日本と結ぶことを焦っていた。当時、日中貿易は世界最大のものであり、日本が中国と急いで国交を結ぶ必要はなかった。

中国は日台が領事関係を維持することを、認めたはずだった。日本はアメリカが中国を承認するまで待つべきだった。日中国交正常化は、戦後の日本外交の最大の汚点となった。

私は一九七九年に防衛庁（当時）がつくった、最初の民間の安全保障研究所の理事長をつとめた。中国にはじめて招かれた時に、毛沢東《もうたくとう》の大長征の戦友といわれた、李達《りたつ》人民解放軍副参謀長が人民大会堂において、私の歓迎晩餐会を催した。

宴席で李副参謀長が挨拶して、「日本は防衛費を、GNPの二パーセントにすべきだ」と促した。

中国の国防部と人民解放軍によって、頻繁《ひんぱん》に招かれたが、ある時、「先生はどうして、台湾に肩入れされるのですか？」と質問された。私は「五十年間も日本国民だった台湾国民を守るのは、日本人としての義務です」と答えた。

今こそ時代に適《かな》った日台関係をつくるとき

目録の贈呈式典に話を戻すと、以前お目にかかった台湾の黄石城先生が「二十年ぶりですね」といわれて、私を憶えていて下さった。

黄先生は、自伝『権力無私・私の参政への建言』の日本語訳（海苑社、呉本信一訳、二〇一〇年）のなかで、「日本が台湾に対して行った植民地統治は基本的な建設が相当よく、その時代は皇民教育があったといえども、教育上においてヒューマニズム教育の修身を重視していました。したがって、これまでに日本の教育を受けた人たちは、やはり心にふれて感動しています」と、述べておられる。

黄先生は自伝で、現代社会が「是非の区別をしない」ために、「価値観をもっている人が少なく」なって、「ただ利害関係の価格ばかり考えて、価格観によって行動している」と、警告しておられる。

戦後の日本は、算盤《そろばん》勘定による経済を何よりも優先して、物事の是非を問うことなく、価値観を失った品位のない国家となってしまった。

是非――善悪を弁《わきま》えていないと、一時的には物的に潤うことになるが、結局は大火傷してしまう。

今日の日中・日台関係が、黄先生の「価値観」と「価格観」の戒《いまし》めが正しいことを、証している。

安全保障は、可能性が数パーセントであっても、最悪の場合を想定しなければならない。

〝従北派〟の文在寅政権のもとで、韓国が米日韓同盟から脱落して、在韓米軍が撤収することもありえよう。

もっとも、仮に韓国が敵性国家となったとしても、日本に対する脅威が大きく増すものの、日本が滅びることはない。

ところが、台湾を敵性勢力が支配することになれば、日本はその瞬間から独立を維持することができない。

それにもかかわらず、日台間には公的な関係が存在せず、両国間の軍事協議も行えないでいる。国会がアメリカに倣《なら》って台湾関係法を制定して、日本が台湾有事の場合に何をなすべきか、日台米の協議を行うべきだ。

若い世代は既存のコンセンサスによって、縛られていない。いま、日本に求められるのは、時代に適《かな》った日台関係をつくることだ。

台湾では四年前に、『日本皇族的台湾行旅　蓬莱仙島菊花香』（日本の皇族の台湾訪問台湾が菊花に香った時、陳煒翰著）という単行本が発行され、重版を続けている。

明治三十四（一九〇一）年に、北白川宮が訪台されてから、昭和十六（一九四一）年に閑院宮、同妃まで、二十六人にのぼる皇族が台湾を訪問された日程や活動が、写真入りで二百六十ページにわたって紹介されている。

私はこの本を手に取って、もしこの本がはじめ日本で出版されたとしても、重版されないだろうと思った。台湾国民のほうが、日本の皇室に対して崇敬心が篤いのだ。

台湾国民の心情を知るために、この本の日本語版をぜひ出版したいと思う。

台湾は世界のなかで、日本と心を分かち合っている、唯一つの国なのだ。

世界で日本と心を一つにしている国が、他に、どこにあるだろう。

すぐに里帰りの桜の植樹先を決めるべきだったのに、両国ともにコロナの流行に襲われたために、遅れていた。そのところ、台湾側から二〇二一年以内に、まず一ヶ所だけ決めてほしいという声があがった。

それなら皇居だということになり、折衝した結果、天皇、皇后両陛下以外の皇族が皇居に入退出される時に使われる、乾門《いぬいもん》前の緑地に五本植える許可がおりた。

昭和天皇里帰りの桜の会のスタッフが、乾門外の緑地で五本の苗木を植える作業中に、偶然、上皇陛下が入門され、警護の者から何の作業を行なっているのか説明を受けられ、作業中の者が最敬礼をするのに対して、ご自分で窓を降ろして会釈《えしゃく》され、一同が感動するということがあった。

また、台湾側から先の大戦中に、台湾人三万人が陸海軍人として戦死していることから、靖国神社に植えてほしいという要望が寄せられた。

靖国神社の大鳥居直前に京都御所の右近の桜が植えられている、参道を越した前の土手

台湾から里帰りした昭和天皇ゆかりの桜を植樹し、鍬入れする著者（2022 年 3 月 17 日）
写真提供／産経新聞社

に、盛大な神事が営まれるなかで、昭和天皇の桜の苗木が植えられた。二〇二二年三月十七日のことである。

台湾人が一番尊敬する国とは

台湾で、二十歳以上の一〇〇〇人を対象にして行なったアンケート調査によれば、「尊敬する国」という質問に対して、一位が日本、二位がアメリカ、「旅行したい国」「移住したい国」という質問に対しても、それぞれ日本が一位、二位がアメリカだった。

「留学したい国」は、アメリカが一位で、日本が二位だった（台湾『遠見《ユエンチエン》』誌二〇〇六年七月号による。『遠見』は台湾の古い月刊の政治雑誌）。

二〇一二年に、台湾の「金車教育基金」が「学生の国際観」について、一四二五人の高校生と大学生を対象として、調査を行なっている。

台湾にとって「もっとも友好的な国家」は、五六・一パーセントが日本と回答して、やはり一位に挙げられ、アメリカが二位で続き、「もっとも非友好的な国」は、八七・九パーセントが中国で一位、二位が韓国で四七・四パーセントだった。

台湾人のなかには、子供のころに父母や、祖父母から「日本は素晴らしい国だ」「日本人を見習うべきだ」と聞かされて、育ったという者が多い。

台湾で「日本式《イルベンス》」といえば、人が「律気である」「約束を守る」「騙《だま》さない」「信用できる」「マナーが正しい」という意味で使われているが、「中国式《チュングオス》」といえば、その正反対となる。この二つの言葉は、台湾の人々の日常会話のなかで、よく用いられている。

今年（二〇一三年）、台北を訪れて、台湾の親しい友人たちと、屈託《くったく》のない時間を過ごすことができた。

宴席で隣りに座った、台湾の著名な経済人の夫人で戦後生まれの女性が、日本語はたどたどしいものの、「素晴らしい、嬉しい、美しい」という両親から覚えた日本語を唱えてみせてから、童謡の「夕焼け小焼で、日《ひ》が暮れて…」「モモタロさん、モモタロさん、お腰につけたキビダンゴ…」「ねんねんころりよ、おころりよ…」と、日本語で正しく歌ってくれた。

「幼いときに、両親がいつも歌ってくれました」と、話してくれた。

台湾の観光局（日本の観光庁に当たる）によれば、二〇一二年に台湾から一五六万人が日本を訪れたが、日本から台湾への訪問者は一四九万人だった。台湾の人口は日本のおよそ五分の一であるから、人口当たりにすれば、日本を訪れる台湾の観光客は、台湾を訪れる日本人の五倍に相当する。事実、日本を訪れる観光客は、台湾が世界でもっとも多い。多くの台湾人が、自らを「愛日家《アイジッカ》」だとしばしばいう。この「愛日家」という言葉は、ひろく用いられている。

台湾は日本にとって、もっともよき隣邦だ。これほどまで、日本に対して好意をいだいている国は、世界に他にない。

どうして、台湾の人々は、これほど日本を大切にしてくれるのだろうか。

中国人観光客を「豚」呼ばわりする台湾人

このところ、台湾に中国大陸から、大勢の観光客が訪れるようになっている。

台湾の観光局によれば、二〇一二年には中国から二五九万人の観光客が、台湾を訪れている。日本人観光客よりも、一〇〇万人以上も多かった。

台北市内の銀行やその支店の前を通ると、「本行開辦人民幣業務歓迎洽辦（当行は人民元を喜んで扱います）」という、横幕が張られている。「洽」は「和合する」「うるおす」、「辦」は「つとめる」という意味だ。

東アジアでもっとも高い超高層ビルである、「101」をはじめとする台北の観光名所では、中国の観光客がバスを連ねてやってきて、ぞろぞろ歩いている。

台湾人は一見して、中国の観光客だと分かるという。台湾人と話していると、「歩きかたも、だらしがないですね」「中国人はマナーが悪い」「台湾人と日本人は心がきれいですが、中国人は心が汚い」といった批判を、口にする。

中国から来た観光客たちは、台湾の人々から、「426」と呼ばれ、強い顰蹙《ひんしゅく》を買っている。「426」は台湾語――閩南語の発音では、「シーアラア」だ。「死阿陸《シーアラア》」は、「死んでしまえ」という意味だ。

ところが、中国語――北京語では、426は「シェアリヨ」と発音するから、台湾人にしか、この中国人の別名を、理解することができない。

台湾人は大陸から来た中国人を、「イモ《ラオア》」とか「猪《ティ》（豚）」と呼んで軽蔑する。一九四五年に日本が敗れて、大陸から中国国民党軍がやって来た時から、そう呼んでいた。

台湾の人々は、中国の観光客が金を費《つか》うのは喜んでも、そういって楽しんでいる。

中国人観光客は、まわりの迷惑にまったく構うことなく、大声で話す。

中国人客は泊まったホテルの備え付けのタオルから、風呂場のマット、ドライヤー、壁の絵まで、あらゆるものを持ち去ってしまう。

従業員が気付いて、出発する中国人客から取り戻そうとする。すると、悪びれるどころか、「これは料金のうちだから、返す必要がない」と叫ぶために、大喧嘩となる。

そのうえ、ホテルの部屋や、廊下に、痰や、食べかすを吐き散らして、汚してしまう。あとの掃除が大変だ。中国人は何といっても、躾《しつけ》が悪い。民族の二〇〇〇年以上にわたる育ちの悪さが現われていると、いってよい。

中国人はいつだって、けたたましい。親しい者どうしで話をしていても、私たちがわきから見ていると、まるで喧嘩をしているようだ。もっとも、韓国人も、アラブ人も、西洋人も、声が大きい。自己主張が強いからだ。

私は二十年ほど前に、東京のアメリカ公使の公邸に招かれた時に、アメリカ人の客が二〇人ぐらいいて、アメリカの観光業者とグラス片手に、立ち話をしたことがあった。当然なことに、ロスアンジェルスや、フロリダのディズニーランドについて、よく知っていた。

日本に来る前に、香港《ホンコン》のディズニーランドを訪れたところ、自分の目が信じられないほど、汚かったといって、顔を顰《しか》めた。ところかまわず、痰を吐く、立小便する、食べたあとのニワトリの骨を捨てる。

ところが、浦安のディズニーランドにいったら、ゴミひとつ、どこにも落ちていなかったので、アメリカのディズニーランドでも考えられないことだと、驚いていた。

秦《しん》の時代から変わらない中国人の本性

日本文化と中国文化の違いは、日本が「清く」、中国になると「穢《きたな》い」ということだ。中国には公共の精神も、衛生観念も、羞恥心もない。

「躾」という漢字は、日本独特の概念を表わしているもので、中国には存在しない。日本でつくった国字であって、多くの和製漢字の一つである。

私はためしに、この国字を何人もの中国の友人に見せて、日本でつくられた漢字だと説明したうえで、その意味をあててほしいと、たずねた。すると、全員が揃って「肉体美の女性だ」と、答える。ポルノ的で、即物的な発想しかないのだ。

日本は中国と対照的に、何よりも和の精神を重んじる文化なのだ。和の精神が、躾をもたらした。躾は、日本に独特なものだ。自己を抑制する心の働きから、生まれたものだ。

日本でいまでは躾という字が、定着しているが、明治までは身と花を組み合わせて、「躮《しつけ》」とも書いた。

もちろん、日本や、アメリカや、ヨーロッパに留学している中国人学生のなかには、国外に出てからマナー——礼儀作法を身につけた、優れた青年たちも少なくない。できるだけ多くの中国人青年を、日本やアメリカのよい大学に、留学させるべきだと思う。

それでも、中国人の本性は、秦の始皇帝時代から、まったく変わっていない。

中国の歴代の王朝が略奪王朝であって、支配者の卑《いや》しい欲を満足させるために、民衆から恣《ほしいまま》に収奪した。為政者はつねに自己を正当化して、美化してきた。嘘をつくことが、正しいこととされてきた。

そのために、中国人は歴史を通じて、政治が自分たちによいことをもたらすという考えがない。人々は当然のことに、自己保身の技《わざ》に熟達するようになった。

中国人は自分の血族しか、信用することができない。日本は和の国であるから、親が子供を学校に送り出す時に、「みんなと仲良くしなさい」という。

私は中国の友人たちに、何といって子供を学校に送り出すか聞いたが、「人に騙《プーヤゥ》されないように《ペーペン》」と諭《さと》して送り出すという。

中国は歴史を通じて、つねに人災に見舞われてきた気の毒な民だ。同情しなければならない。

日本が天災の国であるならば、中国は絶え間のない人災の国であってきた。中国では公《おおやけ》の精神も、和の心も、公衆道徳も、培《つちか》われようがなかった。

ちなみに韓国では子供を送り出すときに、「一番になれ！《イルトウンイテオラ》」「負けるな！《チヂマ》」といって、送り出すそうだ。

台湾人に同じことをたずねたら、日本の教育の影響で、「みんなと仲良くしなさい《タチャトシュタオパンヨ》」、あるいは「喧嘩をしないでね《プカイチャオチャ》」というそうだ。

円山大飯店の客室に置かれていた日本語の栞《しおり》

あるとき、円山大飯店に滞在した時に、部屋の机の抽《ひ》き出しに、『台湾で初めてで最大の〝台湾神社〟跡に建つグランドホテル』と、日本語で書かれた栞《しおり》が入っていたのを発見した。

三つ折りで、ありし日の台湾神社の写真が、五つも載っていた。円山大飯店は、国民党政権が破壊した台湾神社の跡地に、建てられた。全文を紹介したい。

「一八九七年（明治三十年）、総督乃木希典《のぎまれすけ》は圓山で故北白川親王《きたしらかわ》（注・一八九五年、近衛師団長として台湾に出征し、現地で病没）の祠《ほこら》を建てようと、お決めになりました。一八九九年四月一日、台湾神社の地鎮祭が行なわれました。一八九九年五月に起工、一九〇一年十月二十日に完工いたしました。

神社の境内は計八万坪にも達し、台湾で唯一の官幣《かんぺい》大社であり、しかも最大の神社です。十月二十八日に大祭式典を行ない、日本国内数多くの高官が台湾にお見えになり、北白川親王の王妃も船で式典に参加されました。

台湾神社の落成後、毎年の十月二十八日は『台湾神社祭』が行なわれています。

皇太子殿下裕仁《ひろひと》親王が台湾神社にご参拝

一九二三年（大正十二年）四月十二日、東宮皇太子裕仁親王（三年後に即位し昭和天皇）は軍艦にて横須賀軍港からご出発、四日間の航海を経て、十六日に基隆にお着きになりました。

そして、十二日間の巡遊活動を展開された後、二十七日に台湾の旅を終え、再び基隆港から日本へご帰国されました。これは日本が台湾を統治して以来の五十年間で、唯一皇太子が海外を巡遊された例でした。また、唯一台湾神社にご参拝された例でもあります。

裕仁皇太子は基隆から汽車で台北にお着きになり、台北駅内で文武勅任官《ちよくにん》、爵位《しやくい》のある方々、総督府の評議委員、また外国領事など九十八人に恭《うやうや》しく迎えられ、街頭の学生団体や、民衆からも歓迎を受けました。

夜は台湾各地で提灯行列が行なわれました。続いて二日目は台北で、先ず台湾神社にご参拝、それから総督の報告をお聞きになり、台湾特産物の展覧会をご見物なさいました。新しく設けられた圓山運動場で行なわれた学生連合運動会にご出席されたり、総督官邸（現在の台北賓館）で文武官民約七百名に、お茶を賜《たまわ》る儀式も行なわれました。

四月二十六日は台湾歩兵第一連隊の閲兵をされた後、専売局、学校をご見学され、午後六時には宿泊所にて功績ある文武官員、総督府評議員、及び民間の有力者など総勢八十三名を宴会にご招待なされました。夜に新公園（注・現二二八記念公園）で花火をご覧になり、二十七日に基隆から、同艦で日本へ帰国されました。

裕仁皇太子の台湾でのご滞在は短期間ではありましたが、各地に記念碑や文化財など数多く残されています。しかし、一部は損なわれてしまい、非常に惜しく思われることです」

日本語の言葉遣いからいっても、「非常に惜しく思われる」と述べていることからも、日本時代を体験した台湾人が書いたものだと思って、胸が熱くなった。

日本語を母語とし、日本精神を保つ本省人《ほんしょうじん》

台湾では、台湾人を本省人《ほんしょうじん》、蔣介石とやって来た中国人を外省人《がいしょうじん》と呼んで区別している。

日本時代に教育を受けた誰もが、かつての日本を誇りにしていた。

私は、台湾に通ううちに、多くの本省人の親しい友人をつくった。

なかでも、陳燦輝《ちんさんき》氏は特許事務所を経営していたが、日本の台湾びいきの多くの文筆人と、深い親交があった。

陳氏は、代表的な愛日家だった。一九二五（大正十四）年生まれだったが、日本を第二の祖国だと思っていた。いや、心の祖国だったのかもしれない。

台北を訪れるたびに、親身になって、歓待してくれた。

私たちをカラオケに案内すると、日本の歌を、もちろん日本語で、つぎつぎと盡情歡唱《チンチンファンチョン》――熱唱してくれた。

陳氏は李登輝政権が登場してから、一九九二年に発起人となって、台湾に正しい日本語を伝えるために、長兄の陳絢暉《けんき》氏とともに、『友愛日本語クラブ』を創立した。

陳氏の世代の本省人は、日本語が台湾語とともに母語だったから、日本人の心を分かち合っていた。

口々に、「日本は素晴らしい国です。日本はもっと胸を張ってください」といって、戦後の日本が日本らしさを失ってしまったことを、悲憤慷慨《こうがい》した。私たちの胸が、痛んだ。

台湾人と親しくするうちに、台湾人が戦前の日本人の精神を保っているのに、驚いた。日本人よりも、日本人らしい台湾人が、多かった。台湾人はアメリカの占領を受けることがなかったから、日本人のままだった。

台湾の由緒ある彰化《しょうか》商業銀行の羅吉煊《らきつせん》会長と、家族ぐるみで、親しくしてもらった。日本の旧制高校に学んで、日本近代史についていくつもの優れた論文もある。碩学《せきがく》で、愛《アイ》日家《ジッカ》である。彰化商業銀行は、日本時代に創業されている。

台湾を訪れた時に、台湾銀行董事長《くんじちょう》（総裁）をはじめとする、本省人の経済人を誘って、私のために歓迎会を催してくれた。日本の「交流協会」代表も、招かれていた。台湾銀行は日本銀行に当たる。「交流協会」は、日台断交後に、日本政府が日台交流のために設立した、民間機関の名称である。

私は宴会の途中に、台湾人どうしで日本語で話しているのに、気がついた。私は羅会長に、「どうぞ、私どもにかまわずに、台湾語でお話しになってください」と、いった。

すると、「いや、台湾語は話し言葉なので、政治や、経済などについて、難しい語彙《ごい》がありません。われわれにとって、北京語は後になって学んだので、うまく話せません。だから、われわれのあいだでは、いつも日本語で話しています。あなたがたのために、日本語で話しているわけでは、けっしてありませんよ」と、たしなめられた。

私は台湾にしばしば招かれて、講演する機会があった。そのような時に、私はかつてアメリカのジョン・F・ケネディ大統領が一九六三年に西ベルリンを訪れて、〝ベルリンの壁〟のすぐ西側につくられた演壇から、東ベルリンを見下ろしながら行なった演説の一節を引用して、

「ケネディ大統領は『イッヒ・ビン・アイン・ベルリーナー』（私は一人のベルリン市民だ）と訴えたが、大陸中国の圧政を憎み、自由を尊ぶ者は、『私も一人の台湾人だ』といおうではないか」と、結んだ。

二〇一三年六月に、オバマ大統領がベルリンを訪問して、中心のブランデンブルク門の前に立ち、半世紀前のケネディ大統領の演説を引用して「イッヒ・ビン・アイン・ベルリーナー」と、訴えた。しかし、オバマ大統領は黒人（なぜアメリカでは、半分白人の血が流れているのに、白人と呼ばないのだろうか）でありながら、人権に関心が薄いから、「私も一人の台湾人だ」と、いうことはないだろう。

私が親しく接した外省人《がいしようじん》の高官たち

台湾に通ううちに、本省人と同様に、多くの外省人の高官や有力者とも親しくなった。大陸から来た中国人のなかには、魅力のある人が少なくなかった。

何応欽《かおうきん》将軍が何回か、台北の自宅に招いてくれた。日本の陸軍士官学校の十一期生で、若くして辛亥《しんがい》革命に参加し、蔣介石の側近だった。日本では、満州事変後の一九三五（昭和十）年に、北平郊外で軍事衝突の危険がたかまった時に、支那派遣軍司令官だった梅津《うめづ》美治郎《よしじろう》中将との間で、梅津・何応欽協定を結んだことで、その名が知られていた。日華事変中の参謀総長であり、南京において日本の支那派遣軍の降伏を、受領した。

質素な日本家屋だった。矍鑠《かくしゃく》（老いてもさかん）として、流暢《りゅうちょう》な日本語を話した。何応欽将軍は日本で高名だったから、日本からの来訪者が絶えなかった。

私の亡妻は、父親が台湾総督府で外事警察の課長として働いていた時に、台北で生まれた。当時、日本では、台湾生まれの邦人を、「湾生《わんせい》」と呼んだ。

妻と台北を訪れた時に、国家安全会議の沈昌煥《ちんしょうかん》議長がそうと知ると、総督府のなかを親しく案内してくれて、妻を喜ばせてくれた。

今日、台湾のエバー航空が羽田空港と台北の都心にある松山《そんしゃん》空港を、結んでいる。台湾人で海運業で成功した張栄発《ちょうえいはつ》氏が、航空事業に進出して、創業した会社だ。機体から、客室乗務員のエプロン、座席のクッションまで、機内のあらゆるものに、日本のハローキティがあしらわれている。

台北の都心にある松山空港へ向かって、高度を下げてゆくと、緑の丘陵に建つ、黄金色の瓦屋根を乗せた、白と赤の壮麗な中国式建築の円山大飯店が、目に入る。

円山大飯店は先にも紹介したが、蒋介石政権時代に、宋美齢《そうびれい》夫人がつくったことで、知られる。

このホテルには、さまざまな思い出がある。亡妻を連れてここに泊まったが、街を探訪していたら、犬屋があって、仔犬と目があった。チャウチャウだった。妻がどうしても欲しいといったので、宿まで届けてもらった。

銭復《せんふく》氏が、外交部長（外務大臣）だった。外省人だったが、はじめて会った時には、新聞局長（政府広報局長）で、私が学んだエール大学のライバル校の、ハーバード大学の出身だったこともあって、親しくなった。

その夜、銭部長が晩餐会を催《もよお》してくれた。私は仔犬を求めたことを話して、名付け親になってほしいと、頼んだ。「子どもの名付け親にはなったことは、多いが」と、笑って快諾した。

仔犬を「来喜《ライシ》」と、名づけてくれた。翌日、外交部から、銭部長が「来喜」と揮毫《きごう》した書が、宿まで届けられた。

仔犬を、東京に連れて戻った。後に中国の人民解放軍の将官や、中国大使館の幹部がわが家に来ると、ふだんは客に愛嬌を振りまくのに、牙を剝《む》いて、吠えてかかった。大陸からの客人を待つたびに、寝室に閉じ込めておかねばならなかった。

後に李登輝《りとうき》政権で副総統をつとめ、国民党主席となった連戦《れんせん》氏の知遇を得たのも、円山大飯店だった。

連戦氏とはじめて会った時は、蔣介石政権時代で、氏は台湾大学国際政治学部長だった。父君が台湾人で、母が大陸の中国人だったから、「半山《プアンサン》」だった。

台湾では、中国大陸を「唐山《タンシエン》」と呼ぶ。そして、台湾人と中国人の血を半々にひいていれば、「半山」となる。プアンサンは台湾語で、北京語ならパンサンだ。

私は円山大飯店で催された会議に招かれて、東アジアの安全保障について報告した。蔣介石総統時代だった。

私は以前から、台湾が中国の一部ではなく、独立すべきだと信じていたから、報告のなかで台湾を終始、「台湾」と呼んだ。

すると、休憩時間に、連戦教授から「台湾といわずに、中華民国と呼んでほしい」と、抗議された。私は国際社会に台湾を支援させるためには、中国大陸全土を支配しているという虚構をとっている「中華民国」よりも、「台湾」と呼ぶべきだと思うと、説明した。

その後、私はさまざまな企業の顧問をつとめたが、日本エアシステムの顧問として、同社の副社長と常務を引率して、訪台した。同社は日台路線をとりたかった。連戦氏が交通部長（運輸相）となっていて、大歓迎してくれた。副社長から、「社長がきても、このように歓待されないでしょう」といわれて、大いに面目を施《ほどこ》した。

日本と心を通わせる李登輝《りとうき》氏

私はまた、李登輝《りとうき》総統の知遇もえた。台北を訪れると、総統府で時間が許すかぎり、話を聞くことができた。

李登輝総統は名前を、台湾語で「リーテンフィ」と発音させた。中国語で発音すると、「リータンホイ」となる。

李総統と一九九四（平成六）年に、はじめてお目にかかった。私はその時のことを、『文藝春秋』の巻頭随筆に、「大人《たいじん》」と題して、寄稿した。

「三月に台北を訪れた時に、李登輝総統にお目にかかる機会をえた。

李総統が率いる中華民国は人口は二千百万人だが、国民総生産（GNP）で世界第二十位、外貨保有高では日本に次いで世界で二番目という自由で豊かな国である。李総統のもとで大胆な民主化が進められ、台湾は中国の長い歴史の最初の民主主義国家となった。

李総統は快活で、飾り気がまったくない。初めて会っても、初対面だと思えないような人が、たまにいるものだが、そういう人である。会見は総統府において一時間半にわたったが、冒頭、李総統のほうから日本が日本統治時代に台湾の経済発展の基礎をつくるのに、いかに大きく貢献したか、話された。

『一八九五年の下関条約によって、日本の領土となった台湾に二年後いちはやくハワイからバンブータイプの砂糖キビを導入し、一九〇五年の日露戦争中に、日本内地に先立ってドイツから化学肥料を輸入するなど、後藤新平《ごとうしんぺい》民政局長が児玉源太郎《こだまげんたろう》総督とコンビで、独立財政、専売制度、台湾銀行創設など、台湾の発展の基礎をよくつくったものです』

流暢な日本語だ。李総統は戦争中の昭和十八年から京都帝国大学（現在の京大）で農業経済学を学んでいるあいだに、応召して幹部候補生、陸軍中尉で終戦、台湾大学において教鞭をとった。

『台湾に寄与した日本人をあげるとすれば、おそらく日本の多くの方はご存じないでしょうが、嘉南大圳《かなんたいしゅう》を大正九年から十年間かけてつくりあげた八田與一《はったよいち》技師が、いの一番に名指しされるべきでしょう。台湾南部の嘉義《かぎ》から台南まで広がる嘉南平野にすばらしいダムと大小さまざまな給水路をつくり、十五万ヘクタール近くの土地を肥沃にし、百万人ほどの農家の暮らしを豊かにした人です』

『圳《しん》』は灌漑用の人工溝である。乾田が水田に変わり、在来米が改良されて蓬莱米《ほうらいまい》となった。李総統は八田技師が土地を三分して、甘蔗と稲と雑穀を交替に植える『三年輪作システム』を考案したのが、その後の水利事業の手本となったと、熱っぽく語った。

八田氏は大戦中に南洋へ赴く途中に、アメリカの潜水艦に雷撃されて亡くなり、未亡人が終戦直後に八田氏がつくった烏山頭《うさんとう》ダムに身を投げて、夫のあとを追ったという。『今、その貯水池は珊瑚潭と呼ばれ、湖畔に八田夫妻の墓があります。その事務所には八田技師のブロンズ像が置かれています』

李総統は母校の京大の清水栄《しみずさかえ》名誉教授が、今年二月末に台北で開かれたセミナーに参加した時に、『何と一九三四年に旧台北帝大の物理学教室で、荒井文策《あらいぶんさく》教授がアジアにおける最初の原子核の人工破壊及び重水の製造実験に成功した、という貴重な歴史的事実を披露しました』と語った。台北帝大は、現在の台湾大学の前身である。

『その年の七月二十五日に最初の実験が行われ、台湾にとって記念すべき日だと、話されました。日本内地では、これに遅れること約三ヶ月で、阪大で成功したと貰った資料にありました。当時の台湾総督府は日本内地へ売る砂糖に税を課するなどして、金が潤沢にあり、台北帝大の予算などもゆとりをもって組んでいたことから、多大な研究成果があげられたといえるでしょう』

私は世界の多くの国の指導者と会っているが、李総統ほど、日本と心を通わせることができる人はいないだろう。これは、総統だけではなく、台湾の人々についても、同じことが言えよう。

私の友人に、淡江《たんこう》大学日本研究所長の張炳楠《ちょうへいなん》氏がいる。淡江大学は台湾の有名私立校であるが、張教授は日本の明治大学から、植民地経営の比較研究によって、博士号を授けられている。

張教授によれば、中国には台湾と海南島の二つの大きな島がある。面積はほぼ同じだ。両島は清朝によって『化外《けがい》の地』と呼ばれていた。

ある時、張教授と話していたら、『もし、日清戦争後に日本が台湾ではなく、海南島を領有していたとすれば、今日、海南島が台湾のように発展していて、きっと台湾は、いまだに海南島の水準にあったことでしょう』といった。

烏山頭ダム建設現場の近くに建つ八田與一の銅像。1931 年に建てられ、戦時中は金属供出を逃れるため地元の人たちによって隠された。戦後も国民党政権のもとで許可が下りなかったが、1981 年、元の位置に再設置された
写真提供／毎日新聞社

日本が明治から太平洋戦争の敗戦まで、周辺の諸国を侵略して、収奪したという歴史観があるなかで、統治された側である台湾の指導者が、日本時代にこそ自国の今日の経済発展の基礎が培《つちか》われたと言い切るその姿勢には、日本人である私の方が、正直、襟を正す気持ちにさせられた。これが大人《たいじん》というものなのであろう。

それにしても残念なのは、日本人がかつて日本国民であった台湾と韓国の人々に対して、冷ややかな態度をとってきたことである。イギリス、フランス、オランダ、ポルトガル、アメリカをとっても、それぞれの旧植民地諸国と、きわめて良好な関係を結んでいる。これは、日本人の度量の狭さを表わしている。

なかでも、台湾は世界のなかで、もっとも親日的な国である。わたしたちは、この有徳の国に報いることを、求められていよう」

「二・二八事件」の遺族に公式謝罪した李総統

ある時、李総統が台湾の外省人が話題になると、「加瀬さん、中国人って、嫌なところがありますからね」と、いわれた。自分を中国人として、みておられないのだ。

李登輝先生はアジアだけでなく、世界におけるもっとも優れた哲人政治家である。きっと、一国が危機に直面すると、優れた指導者が現われるのだろう。

私は親しくさせていただいていたが、お目に掛かるたびに、戦前の日本国民の精神文化が、いかに素晴らしいものだったたか、実感させられた。

李登輝先生は「私は二十二歳まで、日本人でした」「日本の滅私奉公の精神を学びました」といわれた。李先生は、戦前の日本の教育がつくった傑作である。私はその時に、今日の日本人は滅公奉私なのだと、恥じ入った。私はいつも先生にお会いするごとに、襟《えり》を正す思いがした。

ところが、残念なことに、李登輝先生と同年輩のほとんどの日本人から、同じような感動を覚えることがない。日本人が日本人らしさを、失っている。

李総統の自宅に招かれて、書庫に案内されたが、数千冊にのぼる日本書籍のなかに、岩波文庫全巻が揃っていた。いったい、日本の政治家のなかで、このように優れた書庫を持っている者が、いるものだろうかと、訝《いぶか》った。鈴木大拙《すずきだいせつ》、西田幾多郎《にしだきたろう》をはじめとする著作が、ぎっしりと棚につまっていた。良書ばかりだった。

台湾は米中国交樹立を境にして、世界の孤児となった。李登輝総統は、台湾の孤立状況を突破する手立ての一つとして、アメリカが最新型のF－16戦闘機の供給を躊躇したのをきっかけとして、ヨーロッパとの絆《きずな》を強めることをはかり、フランスからミラージュ戦闘機を購入した。

また、中国の圧倒的な軍事力から、台湾を守るために、将来にわたって、台湾の防衛を、アメリカに完全に依存することが危険だと考えて、台湾が核武装すべきだと、信じた。李総統は一九九九（平成十一）年に、「台湾は核兵器を長期的に研究するべきだ」と語った。核の脅威に対しては、核抑止が基本だ。ところが、アメリカが強く反発したために、発言を撤回せざるをえなかった。

私はイスラエルを、三回訪れた。イスラエルも台湾のように、アラブ諸国によって囲まれて、孤立していたので、中東情報の宝庫だった。イスラエルの情報関係者と話すうちに、まだ東京に中華民国大使館があったときに、広報担当の書記官をしていて親しくなったS氏が台湾政府の代表として、核兵器技術を取得する密命を帯びて、滞在していたことを知った。

李登輝総統のもとで、台湾の台湾化が進められた。李総統は一九九一（平成三）年に台湾各地の二・二八事件の受難者の遺族の代表と会見して、事件を究明することを約束した。

一九九五（平成七）年に、国として二・二八事件の犠牲者に補償することが、決められた。二・二八事件については、2章であらためて記すことにしよう。この年に、二・二八事件の発端となった台北の新公園に、二・二八事件記念碑が落成した。李総統が記念式典に出席して、政府を代表して遺族に対して、はじめて公式に謝罪した。

翌年、当時の民進党の陳水扁《ちんすいへん》台北市長が、新公園を「二二八和平公園」と改名し、「二二八記念館」を設立することが、決定された。

李登輝総統は、退任後に日本を訪れた時に、靖国神社を参拝した。靖国神社に参拝する外国人のなかでは、台湾人が群を抜いて多い。

李登輝元総統は退任後に、「尖閣諸島は日本の領土である」と、しばしば発言している。

台湾の近代化に尽力した一〇人の日本人

許文龍《きょぶんりゅう》氏は、台湾の主要企業である奇美《きみ》実業公司の創業者で、オーナーである。台南の自宅に招かれた。

奇美は自動車から、コンピューター、パソコン、家電製品にまで使用されているABS樹脂や、液体表示装置をつくっている世界有数のメーカーである。

許氏は一九二八（昭和三）年に生まれたが、やはり代表的な愛日家《アイジツカ》の一人である。台湾人が大陸政権のもとで、いかに惨《みじ》めな目にあわされてきたのか、日本が台湾の近代化をはかるために、どれほど大きく貢献したことか、熱っぽく語った。

その夜は、許氏がその日に海で釣ったばかりだという魚が、調理された。夕食が終わると、もう一つの趣味だという、愛用のバイオリンを取り出して、日本の「雨降りお月さん」「朧月夜《おぼろづきよ》」「シャボン玉」を、つぎつぎと演奏してくれた。

許氏は、日本を称《たた》えてやまない。一九九九（平成十一）年に、許氏が中心となって、台《たい》南《なん》で日台両国の大学教授による『後藤新平《ごとうしんぺい》と新渡戸稲造《にとべいなぞう》の業績を称える国際シンポジウム』が、地元の台南市長や、台湾の経済界の大立者が参加して、開催された。

許文龍氏は、日本が台湾の近代化に大きく貢献したことを、新しい世代の台湾人に知ってもらいたいと願い、私財を投じて、後藤新平、新渡戸稲造、八田與一、羽鳥又男《はとりまたお》、浜野《はまの》弥四郎《やしろう》、新井耕吉郎《あらいこうきちろう》、鳥居信平《とりいのぶへい》、松本幹一郎《まつもとかんいちろう》、磯永吉《いそえいきち》、末永仁《すえながめぐむ》の一〇人の銅像を製作して、それぞれ、台湾のなかのゆかりの地に、建立している。

後藤新平が台湾総督府民政局長として、敏腕を振ったことと、新渡戸稲造が後藤に誘われて、台湾の糖業を興《おこ》したことは、日本でもよく知られている。八田與一の功績について

2007年6月7日、靖国神社を参拝した李登輝氏
写真提供／毎日新聞社

は、先に挙げた『文藝春秋』の随筆の中で触れた。

羽鳥又男は先の大戦中の一九四二（昭和十七）年から、最後の台南市長をつとめた。戦時中で資材が不足していたのにもかかわらず、オランダ時代の遺跡を修復して、守った。

浜野弥四郎は近代水道を敷設することによって、民生を大きく向上させた。台湾人から「都市の医師」と、呼ばれた。

新井耕吉郎は、台湾の紅茶産業の親といわれる。

鳥居信平は、荒地を、地下ダムと地下導水路による灌漑《かんがい》網を建設して、緑に変えた。

松本幹一郎は実業家だが、台湾の電力事業の父となった。

磯と末永は、在来種の稲を改良して、蓬莱米をつくることによって、台湾の米作を大きく向上させた。

銅像のなかには、日本時代からのものもあったが、国民党によって日本時代の記憶を消し去るために、すべて破壊されていた。

李登輝政権のもとで、民主化が大きく進められると、日本の台湾への貢献を顕彰することが、できるようになった。

それにしても、日本の新聞やテレビは、台湾の代表的な企業家によって、日本統治を称えるシンポジウムや、日本統治時代に台湾のために尽力した一〇人の日本人の胸像が製作されて、建立されたことを、どうして報じなかったのだろうか。なぜ、日本のマスコミがこのように日本を称賛する話題を嫌って、無視するのか、理解に苦しむ。

八田與一は、巨大な烏山頭《うさんとう》ダムと、一万六〇〇〇キロにおよぶ灌漑用水路をつくったが、その生前に、烏山頭ダム建設工事に参加した技師や工員によって、八田が作業服を着た座像が、建立されていた。

銅像は第二次大戦中に、金属供出を免れるために、倉庫に隠されたが、戦後も台湾人の有志の手によって、守られた。

有志が一九八一年に、政府に銅像を設置する許可を申請したが、国民党政権によって却下された。しかし、二回目に申請した時に、回答がなかったので、反対されなかったものと解釈して、もとの銅像が置かれていた場所に戻した。

二〇〇七年に、民進党の陳水扁総統が、八田に対して褒章令《ほうしょうれい》を発した。二〇一一年に、馬英九総統も参列して、八田の慰霊祭が営まれ、「八田與一記念園区」（記念公園）がつくられて、かつての四棟あった宿舎が、復元された。

八田が住んでいた宿舎があるが、床の間、障子、襖《ふすま》がある畳敷きの日本間も再現されていて、あの時代の日本人の精神に触れることができる。

台湾の外交部（外務省）のなかにも、八田與一の銅像が安置されている。韓国が日本大使館のまん前に、在外公館の尊厳を守ることを規定したウイーン条約に違反して、慰安婦像を設置したのと、何と大きく違うことだろうか。

戦艦『三笠《みかさ》』を訪れた台湾人の青年

十年ほど前の夏に、私の読書会の三〇人あまりのメンバーと、バス一台を仕立てて、横須賀の三笠《みかさ》公園にある記念艦『三笠』を、参観した。日露戦争の日本海海戦の、東郷平八郎《とうごうへいはちろう》司令長官の栄光の旗艦・戦艦『三笠』である。

メンバーのなかに、二十代後半の台湾の青年がいた。来日して、会社で働いていた。乗艦すると、シャツのポケットから写真を取り出して、日本語で「おじいちゃん！　ぼく、戦艦三笠にきましたよ！」と、写真に語りかけた。

写真を見せてもらった。すると、若者が水兵服を着て、水兵帽に巻かれたバンドに『大日本帝国軍艦利根《とね》』という文字が、はっきりと読みとれた。

「生前、おじいちゃんがとても可愛がってくれましたが、日本の海軍軍人だったことと、戦争中に巡洋艦利根に乗っていたことを、いつも、私たち家族に自慢していました」と、いった。

私は売店でZ《ゼット》旗のバッジを買って、贈った。Z旗は日本海海戦に当たって、東郷長官が将兵の奮闘を求めて掲げた信号旗として有名である。

私は読書会のメンバーに、船舶信号旗はAからZまであるのに、東郷長官がなぜ最後の文字であるZを選んだのか、説明した。Zには、後がないからである。もし、この海戦に敗れたとしたら、日本にはもう後がなかった。

私は中国大使館の国防武官が交替するたびに、記念艦『三笠』に案内した。そうすることによって、日本国民が超大国だったロシアに対して、必死になって立ち上がって戦ったのであり、侵略戦争を戦ったのでは、けっしてなかったことを、理解してもらえるからだった。

現在の総統府は、かつての日本総督府であるが、いまでも、日本時代の歴代の総督の写真を、展示している。

それにしても、台湾の人々はどうして日本に、これほどまで好意を寄せてくれるのだろうか。

台湾の近代化に真心をもって当たった、日本人たちの精神が気高《けだか》かったことが、台湾人の心に刻まれてきたからである。

日本による台湾と朝鮮経営は、当時の日本人の精神性の高さを証している。

日本の台湾、朝鮮統治は、西洋諸国による植民地統治が現地の徹底的な搾取を目的としていたのと、まったく違っていた。台湾、朝鮮の近代化をはかって、台湾人、朝鮮人の教育、医療などの生活を向上させるために、毎年、国家予算から巨額の予算を割いて、投資した。

今日でも、日本の開発途上国に対する経済開発援助（ODA）は、他の先進諸国の援助と違って、善意に駆られて、計算を度外視しているために、無駄に終わることが多いという批判を、世界から招いている。

だが、そんな日本統治に対する評価は、台湾と韓国とでは、まったく違う。それは韓国が中華思想にどっぷり取り込まれていたのに対して、台湾の人々は大陸から渡ってきた先祖が、難民だったために、食生活から、祭祀、娘たちの纏足《てんそく》まで、大陸の生活文化を持ち込んだが、韓国の場合と違って、中華思想にとらわれていなかったからだった。

台湾、韓国の発展は、日本統治の賜物《たまもの》

私は一九六五（昭和四十）年の日韓国交正常化の前年に、はじめて訪韓して以来、足繁く韓国に通ったが、一九八〇年代までは、韓国の為政者やエリートといえば、親日だった。日本統治の記憶がまだ生きていたし、日本が力を持って、中国がまだ貧しかったからだ。

台湾と韓国の経済発展は、日本統治の賜物である。

韓国も、日本が統治しなければ、中国の属国でありつづけたか、もし、ロシアの支配下に置かれていたとすれば、韓国はいまだに中国の東北部か、旧ソ連の中央アジアの共和国の水準にあったはずである。

韓国人は歴史を無視して、さかんに「反日」を叫んで、自己満足に浸っているが、中国の属国でありつづけたかったと、思っているのだろうか。

韓国は、ことあるごとに日本を叩いて、快感に浸《ひた》っている。韓国はどうしてこれほどまで、いじけてしまっているのか。自国について自慢できるものが、まったくないために、ただ反日だけが、韓国の誇りを支えている。

韓国は歴史を通じて、ごく短い期間を除いて、中国の属国でありつづけ、独立することがなかった。

いまでも、韓国語で「大国《デグク》」というと、中国の別名であり、中国一国だけを意味している。大国の鼻息をひたすら窺《うかが》って生きてきたために、自国を主軸に置くことができないでいる。自国に自信をいだけないから、情緒不安定になっている。

韓国はまるで子供のように泣き叫ぶので、手に負えない。日本はこれまで腫物《はれもの》に触るように、泣く子には勝てないと思って、韓国を甘やかしてきたが、子供を躾《しつ》けるために叱るべきだ。

私の韓国の親しい友人によれば、「日本の台湾統治は五〇年に及びました。韓国は三五年でした。もし、日本があと一五年統治していたら、台湾のようになったことでしょう。日本が戦争に負けたのが、悪いんです」という。

それでも、今日、アメリカの量販店を訪れると、どの店でも韓国のサムスンや、ＬＧの家電製品が、日本製品を圧倒して、駆逐するようになっている。私は韓国企業が日本を凌駕《りょうが》する勢いをみせているのは、日本の勲章だと思って、喜んでいる。

内地に引き揚げる邦人を見送る台湾人の涙

日本人の台湾からの引き揚げは、終戦翌年の一九四六年三月から始まった。武装解除された日本軍隊の内地送還は、前年十二月から進められていた。

私は台湾から引き揚げた邦人による、多くの手記を読んだ。引き揚げに当たって、所持金が一人一〇〇〇円、所持品は行李《こうり》一個までという制限が加えられたので、全員が身一つで、母国の土を踏んだ。

台湾を去ってゆく日本人に対して、台湾人がとった態度には、胸を打たれる挿話が多い。以下は、台湾協会発行『台湾引揚史――昭和二十年終戦記録』（一九八二年）からの引用である。

「われわれ引揚者数百人が、台北駅前に集結したときであった。一人の盲人の台湾人が、私たちに選挙の街頭演説のような大きなよく通る声で、あいさつを始めた。

『私は台湾の一盲人であります。私は日本が私たち盲人にまで教育をしてくれたことを感謝しているものであります。皆さんは故国に帰ってから、さぞ苦労されることと思いますが、台湾にはあなた方に感謝している盲人がいることを、忘れないで下さい』

私たちは足取りも重く、帰国後の不安感で心がうつろであったとき、この盲人の真情を吐露した言葉に深く感動した。また多くの台湾の人たちが、ちまきや手作りの食べ物などを持ってきて、別れを惜しんでくれた」

「隣の藩《はん》さんという台湾人と、家族ぐるみのおつきあいとなり、引揚時には、たんす、世帯道具まで、この藩さんに贈った。

たとえ、身振り手真似のぎこちなさといえども、真心の触れあいは、尽きぬ名残りの送別の宴まで催し、惜別の情に涙ぐむ情景に、国境を越えた、人種差別のない真の人間愛の像を、私は見た」

「シキタン（社＝先住民）の人たちであった。どうして私（中学校教員）の家がわかったかと尋ねると、二中に寄って聞いてきたということであった。

シキタンと言えば、私のもっとも好きな蕃社《ばんしゃ》（蕃社という呼称《こしょう》は使いたくないが、あえてその当時のままの言葉を使う）の一つで、ピヤナン越えの途中何度も訪ねたし、またリヨヘン社を訪ねるために、彼らに案内されてシキタンの裏山を越え、途中ピヤハツに一泊し、リヨヘンへ行ったことがある。私は戦争のために、すっかり忘れていたが、彼らは私の名どころか、勤務先まで覚えていてくれたのである。

内地の人が食うものに困っていると聞いたので、食糧を担いでやってきてくれたとのことであった。タウカシや麻ふくろの中から、サツマ芋や、イノシシの塩漬けまで出して座敷に広げ、これで命をつないでくれと言う。私は涙がこぼれた。

奥から家内と三人の子供らを呼んで、対面させた。家族は高砂族とは初対面である。子供は初めこわがっているふうだったが、天真爛漫な彼らの振る舞いに、すっかりなじんで、だっこされたりした。

私は彼らに足を洗わせ、風呂をたいて入れてやった。その夜、深夜まで酒を酌《く》み交《か》わし、山の歌を歌い、肩を組んで踊り狂った。

この人たちは私の元気な顔を見、内地人が安泰であることを知って、よほど嬉しかったらしい。シキタンといえば、駅に出るまでは私の足で一日の行程。そこから台北まで汽車で数時間はかかる。よくぞ来てくれたものと思う。

山では平地の内地人が、困っているらしいという話で、もちきりだったらしい。いても立ってもいられない気持で、やってきたという。

翌朝、発《た》つ前に、『日本は運悪く敗れたが、また必ずタイワンに来る日がある……。かならずある……。待っているから、それまでお互い元気でいようね』と、私や、家族の一人一人の手を握って泣いた」

「日本人でおりたい、中国人になりたくない」

日本統治下の台湾では、日本人は内地人《ないちじん》、台湾人は本島人《ほんとうじん》と呼ばれていた。

「集結場所の郵便局の庭に集まった数十人の日本人はもちろん、見送る台湾人たちにも、敗戦の厳しい現実を切実に認識させられた。一同トラックに積み込まれて、鉄道の駅二水《にすい》に運ばれた。

『日本へ帰るな！　台湾に残ってくれ！』と、本島人の弟子たちが泣いて、すがりついた。

少年の日から大工修行をした者たちと、棟梁との別れは、断腸の思いだったのだろう。（略）

台湾の人たちは先々の不安を抱きつつも、日本人の不幸をいたわろうとする度量の見事さ。米の配給、食品購入など何の不自由もなく、敗者の身を忘れるほどだった」

台湾も昭和十九年に入ると、アメリカ軍による激しい空襲を加えられた。

「台南の山奥に疎開していましたが、終戦後数日して、（澎湖列島の八單島の）望安に帰りました。望安に舟が着いたときも、敵機が宣伝ビラをまきました。

終戦後に大勢が私の家に集って、軍歌などを歌って落ち着いていました。

そのとき、本島人が、『日本人でおりたい。四〇年以上も日本人だったのに、中国人になるとは』といって、泣きました」

「私は嘉義《かぎ》市の近郊にあった台湾軍教育隊で、陸軍甲種幹部候補生の教育を受けていた。（略）引揚前、友だちと二人で、屏東《へいとう》市より三〇キロあまり離れた日の出村にいた。家主の農作業を手伝い、わずかな衣類を米に代え、心細い生活をしていた。

家主と共同耕作をしていた本島人の娘が、夜半こっそり野菜を持ってきてくれた。見つかったら、大変なことになるだろう。引揚前日まで、そうしてくれた。二十歳ぐらいの美人で、アープアと呼んでいた。

あれから三十五年（注・執筆は昭和五十二年）が過ぎた。昨年七月に、訪台の機会に恵まれ、数人の本島人の協力をえて、その人を捜し出し、再会することができた。『謝梅』という正しい名前もわかった。米粉工場を経営し、御主人と子供らに恵まれた家庭を見たときは、うれしくて涙が止まらなかった。帰国後、文通を始めた」

私は台湾人があのころから日本に熱い想いを寄せており、どうして台湾国民が二〇一一（平成二十三）年の東日本大震災に当たって、どの国よりも多額の二〇〇億円を上回る義《ぎ》捐金《えんきん》を募って、東北の被災地に贈ってくれたのか、理解することができる。

元教員は総督府の高雄州国民動員課に勤務していたが、敗戦直後に中国軍の先遣隊によって、名称が職業課と変更された。中国軍本隊が高雄に上陸してくるのに当たって、台湾人の女学生を引率して、歓迎することを命じられた。

「整列して待ちかまえる私たちの前に、（中国軍本隊が）姿を現わした。銃を持つ兵は五人に一人、奇妙な帽子や、笠をかぶる者あり、無帽の者あり、靴をはく者はまれ、裸足《はだし》あるいは片足だけ靴をはき、天秤棒に鍋釜《なべかま》や布団《ふとん》を担いだ異様な大集団が、ぞろぞろと通過してゆく。

堂々たる日本軍を見慣れている女学生たちは、驚きあきれて歓迎の旗を振るのも忘れ、呆然《ぼうぜん》と見つめている。私が『万歳はどうした？』と促すと、彼女たちは恨めしげに見返した」

私がアメリカ側の記録によって、基隆港に上陸した中国軍の描写を読んだことを、裏書していた。

二〇〇一（平成十三）年十月、東京は千代田区の九段会館大ホールで、一二〇〇人ほどが客席を埋めた集会が催された時に、そのなかに派手な民族衣装を着た、台湾の男女の先住民の一行がいた。

開会前に立ち話をしたところ、靖国神社に参拝してきたといった。

会が始まると、司会者が壇上から「今日は外国から、台湾の高砂族の皆さんが、会場にお出《いで》になっています」と、紹介した。会場から、いっせいに拍手が涌いた。するとこ、二〇人あまりの先住民全員が、やにわに席から立ち上がって、リーダーが日本語で「ちがいますよ！　私たちは外国人ではありません！　日本人です！」と、声を張りあげた。

今日、台湾の先住民は、高山族がタイヤル、アミ、ヤミなどの九族と、平埔族がケタガラン、シラヤ、サオなどの一〇族から構成されている。

「NHKスペシャル」の正視に堪えない歴史歪曲

戦後、日本の大手マスコミや、そこに寄生する知識人は、日本を悪玉に仕立てて、商品化してきた。戦前の日本はすべてが暗く、邪《よこし》まだったとして辱《はずか》しめることに、血道をあげてきた。

このような人々には、どうして多くの台湾国民が、いまだ日本に対して好意を寄せているのか、理不尽に思えたのだろう。

二〇〇九（平成二十一）年四月五日の日曜日の朝刊の番組欄に、NHKテレビで夜九時から、「NHKスペシャル　日本初の植民地・台湾発見・幻の皇民化映像」と、載っていた。私はふだんテレビを好まないが、観ることにした。

NHKが偏向していることは、NHKの歴史番組の製作に、何回か協力を求められたことがあるが、資料を提供したところ、歪曲《わいきょく》されて使われた苦い体験から、よく承知していた。

だが、台湾の日本統治は、国際的にも高く評価されてきたことから、悪意をもって偏向番組をつくるのは難しいだろうと思って、「NHKもようやく、健全な番組をつくることになったのだろう」と、期待した。

ところが、呆《あき》れはてるほど、酷い番組だった。

公共の電波を使って、日本を貶《おとし》めるものだった。日本の台湾統治について、はじめから終わりまで、事実を大きく歪《ゆが》めていた。

日本は日清戦争によって、台湾の割譲を受けたが、一部の台湾人が抵抗したために、鎮定するのに半年あまりかかった。その後も、散発的な抵抗が続いたが、一九〇〇（明治三十三）年までに全島を平定したとして、戦闘が行なわれたという場所が放映されたが、こともあろうに「日台戦争（1895）」という字幕が流れた。私はわが眼を疑った。当時の台湾は国ではなかったから、「日台戦争」と呼ぶのは、事実を大きく逸脱したものだった。

もし、そう呼ぶのならば、日本が敗れた後に台湾を接収した蔣介石軍が、一九四七（昭和二十二）年二月二十七日から、三万人以上の台湾島民を大虐殺した二・二八事件も、台湾人が全島にわたって立ち上がって、組織的に抵抗したから、「中台戦争」と呼ぶべきだろう。

後藤新平が台湾総督府民政長官として、島民の福利の向上に大きく貢献したことは、今日の台湾でも、ひろく知られている。それにもかかわらず、この番組では後藤新平が三〇〇〇人にのぼる台湾人を処刑した元兇としてだけ、取りあげていた。

李登輝総統が後藤新平を賞讃したことにも、触れていなかった。李総統は、後藤を「偉大な精神的導師」とまで、呼んでいる。

後藤が勤務した当時の台湾は、匪賊《ひぞく》が横行して、良民を苦しめていた。総督府が匪賊に峻厳たる対応をとったことは、事実である。その結果、治安がはじめて良好なものになった。今日でも、後藤が多くの台湾人によって慕われている事実を紹介しなければ、公平でない。

日本が台湾人をいかに差別して、虐待したかという、画面が続いた。国民党軍が台湾島民を虐殺した二・二八事件も、日本統治が原因をつくったとか、台湾人が漢民族であるといった、事実に大きくもとる解説ばかり続いて、正視するに堪えなかった。

番組は日本が台湾に対して、悪事ばかり働いたという視点によって貫かれており、日本統治の優れた面に、故意に目をつむっていた。今日の台湾を、少しでも知っている日本人であれば、いかに真実を意図的に歪めているか、分かるものだった。

私はCS局の「日本文化チャンネル桜」とともに、ネットで呼びかけて、NHKに対する一万人の集団訴訟を立ち上げた。これまでの日本における最大規模の集団訴訟となった。一万三〇〇人で締め切ったが、そのままネットで呼びかけ続けていたら、数万人を超えたはずだった。

この番組に、インタビューを受けて登場した台湾人たちも、自分たちの発言を歪めて編集されたと主張して、こぞってNHKを告訴した。台湾のパイワン族も、加わった。それにもかかわらず、NHKは「公正な番組」だと、強弁しつづけた。

NHKは、日本の名誉と、日台関係を大きく傷つけた。NHKは公共放送であって、国民が受信料を払うことによって、維持されている。私はNHKが、わが家に勝手に電波を送ってくることに、迷惑している。このように国益を大きく損ねる放送局を、国民が支え続けてよいものだろうかと、思う。

NHKが改まることがなければ、公共放送として価《あたい》しないから、教育放送を除いて、解体するべきである。終戦後の貧しかった時代と違って、今日のように娯楽が過剰になっている日本で、NHKがお笑い番組や、歌謡番組や、大河ドラマを、高い視聴料を徴収して、垂れ流す必要はなかろう。

日米安保を高く評価していた人民解放軍高官

私が中国に招かれて、はじめて北京を訪れたのは、一九七九年(昭和五十四)年で、華《か》国鋒《こくほう》時代だった。

人民解放軍の李達《りたつ》副参謀総長が、天安門広場に面する人民大会堂で歓迎晩餐会を催してくれた。李達将軍は中国でよく知られた軍人で、八十代だったが、毛沢東の大長征《だいちょうせい》の戦友だった。

当時、人民解放軍は階級を廃止していたから、階級章がなかった。高級な服地で、仕立てのよい軍服によって、肥満体を包んでいた。茫洋《ぼうよう》とした、大人の風格があった。

山海《さんかい》の珍味が、つぎつぎと運ばれた。李達副参謀総長が隣に座って、新しい料理が供されるごとに、長い箸《はし》を使って、皿によそってくれたが、とても食べきれない量だった。私は大長征時代について、たずねた。

李達副参謀総長は、日米安保条約を高く評価した。そのうえで、日本が三木《みき》内閣以来、防衛費をGNPの一パーセント以内に抑《おさ》えていたのに、不満を唱えた。現実にそぐわないといって、二パーセントまで増やすべきだと述べた。

もっとも、その前年に鄧小平《とうしょうへい》副主席が来日して、福田赳夫《ふくだたけお》首相と会談して「日米安保支持や、自衛隊強化論はおかしいという人がいるが、そういう人こそおかしい」と発言し、安保反対、非武装中立を旗印にしてきた社会党と総評に、衝撃を与えていた。

中国共産党はその直前まで、日本を「帝国主義者」「軍国主義者」と、痛罵《つうば》していた。これらの発言を、日本の社会党や、共産党は中国を模範として、擁護していた。ところが、突然、中国の副主席が東京に現われ、自民党の福田首相を抱擁して、日本を「師」と誉《ほ》めたたえ、中国が「生徒」だといって自己批判し、日本の防衛費を引き上げて欲しいと求めたのだから、狼狽《うろた》えた。

その後、私は亡妻とともに軍から招かれて、しばしば中国を訪れた。北京で意見の交換を行なったうえで、高級将校に案内されて、新疆ウィグル、チベット、満州、内モンゴルをはじめ、中国全国を旅行した。

二回目に訪中した時に、軍幹部から「どうして、先生は台湾を応援するのですか」と、質問された。私は「台湾の人々は、五〇年にわたって日本国民でした。日本人として、かつて日本国民であった台湾の人々を守るのは、義務であると思います」と、答えた。その後、二度と、同じ質問が出なかった。

満州を案内されて、瀋陽《しんよう》（旧奉天《ほうてん》）で歓迎会が催された時に、「この地満州を訪れるのは、幼い時からの夢でした」と述べたところ、私の挨拶が終わってから、「ここは東北部です。東北と仰言《おっしゃ》って下さい」といわれた。「ここは、満族《まん》の地でしょう？　だから、私は満州と呼びます」といったところ、「いまでは、満族は少数民族です」と、たしなめられた。

台湾人を擁護するのは、日本人の義務である。瘴疫《しょうえき》（毒気によって起きる熱病）の地だった台湾を、第二の日本とするために、私たちの先人が心血を注いだことを、忘れてはなるまい。

中国側は、私が以前からワシントンに本部を置く「インターナショナル・キャンペーン・フォア・ティベット（チベット国際支援会）」の顧問の一員であることも、承知していた。私は日本から一人だけ名を連ねているが、顧問団に世界の多くのノーベル賞受賞者が、参加している。

私は一九八九（平成元）年六月に、天安門事件が起こった直後に、軍によって案内されて、天安門広場と、まわりの街路を案内された。街路に焼け爛《ただ》れた兵員装甲輸送車や乗用車が、まだ放置されたままになっていた。

中国政府は天安門事件によって、三〇〇人あまりの死者が発生したと発表したが、欧米のメディアは三〇〇〇人以上が殺戮《さつりく》されたと、推定していた。

一九九六（平成八）年に、人民解放軍の遅浩田《ちこうでん》国防相が訪米して、ワシントンにおいて「（天安門事件当時に）私は参謀総長だった。私はここで天安門広場において、一人として死者が出なかったと、はっきりと断言したい」と、語った。

中国の為政者は、歴史を通じて虚言症《きょげんしょう》を患《わずら》っている。孔子《こうし》が紀元前五世紀に、もし、家族の一員が不祥事を起こした場合には、外に対して隠さなければならないと、教えている。今日でも、中国は儒教国家なのだ。

私が催す会に、いつも中国大使館の首席駐在武官と、台湾の代表処の幹部が来てくれた。参会者のなかに、中国と台湾が同席するのは珍しいという人が、少なくなかった。

私は他の人々も、もっとこのような機会を、設けるべきだと思った。

2章

蔣《しょう》介《かい》石《せき》は台湾で何をしたのか

——知られざる暗黒の国民党統治

ニクソン・周恩来会談で取り沙汰された「彭明敏《ほうめいびん》亡命事件」

私は十一年前に、『ファイアプルーフ・モス――台湾の白色テロと、ある宣教師《ア・ミッショナリー・イン・タイワンズ・ホワイト・テラー》』（ミロ・L・ソーンベリー著、サンベリー・プレス、二〇一一年）という本を、入手した。「ファイアプルーフ・モス」は、炎のなかに勢いよく飛び込んでも、「火に焦《こが》されることがない蛾《が》」である。

著者のソーンベリーは、アメリカのメソジスト教会の宣教師として、一九六五年に妻のジュディスをともなって台湾に派遣されて、一九七一年まで滞在した。メソジスト教会は、キリスト教のプロテスタント（新教）諸教派の主要な一つで、全世界にわたって多くの信者を擁している。

日本では、青山《あおやま》学院、関西《かんせい》学院、鎮西《ちんぜい》学院、弘前《ひろさき》学院が、メソジスト教会によって創立されている。

その本は、二〇〇三年、著者が三二年ぶりに台北に戻り、中山北路の国賓大飯店《アンバサダー・ホテル》の部屋で、一九七二年にニクソン大統領がキッシンジャー国務長官をともなって北京入りをして、周恩来《しゅうおんらい》首相とはじめて会談した時の極秘文書を取り出して、読むところから始まる。

国賓大飯店は古い代表的なホテルで、日本の観光客にもよく知られている。私も一時、常宿としていた。

一九七二（昭和四十七）年のニクソン訪中は、日本と世界を驚かせた。米ソ間の冷戦が激化するさなか、中ソの対立も深刻化し、中ソ間にも冷戦がもたらされていたが、米中が接近することによってソ連に対抗することを、両国が望んだものだった。

著者が目を通している、ニクソン、キッシンジャーと周恩来の会談記録は、アメリカ政府によって機密指定が解除されたばかりだった。

この記録のなかで、周恩来はニクソンとキッシンジャーに、「アメリカがアメリカ国内と、台湾における台湾独立運動を支持しないことを、ここで約束してほしい」と、強く迫った。

キッシンジャーが「アメリカは（台湾の独立運動を）応援《エンカレッジ》することはできても、禁じることはできない」と答える。流石《さすが》に天性の外交官だ。応援することだってできるといって、周をからかっている。

すると、周が「ぜひ、妨《ディスカレッジ》げてほしい」と、懇願した。

ニクソンが周に助け舟をだして、「われわれは妨げる《ディスカレッジ》」と、相槌《あいづち》を打った。

周「アメリカは米軍が台湾に駐留しているかぎり、台湾における台湾独立運動を絶対に許さないと、はっきりと約束してくれないか?」

ニクソン「米軍がいるかぎりは、そうしよう」

それを受けて、周が「だが、あなたも承知しているはずだが、あなたがたが彭明敏《ほうめいびん》を逃がした。蔣介石すら、そういっているではないか」と、詰め寄った。

「それは事実に、まったく反する」と、キッシンジャーが反駁《はんばく》して、これまでアメリカが台湾独立運動を援《たす》けたことは、いっさいないと断言した。

ニクソン「私は国務長官の発言を、確認する」

それでも、周は納得しない。「私は彭明敏が台湾から脱出するのにあたって、アメリカが手助けしたという、報告を受けている」と、食い下がった。

ニクソン大統領が苛立《いらだ》ちを抑えられず、「首相閣下《ミスター・プライム・ミニスター》、蔣介石は《チャング・ディドゥント》(彭明敏の脱出を)喜ばなかった《ライク・イット》。あなたがたも、喜ばなかった《ユー・ディドゥント・ライク・イット》。われわれも、喜ばなかった《ウイ・ディドゥント・ライク・イット》。われわれはいっさい手を貸さなかった《ウイ・ハッド・ナッシング・トゥ・ドゥ・ウィズ・イット》」と、吐いて捨てるようにいった。

「私が知るかぎり、教授《プロフェッサー》(彭明敏)はアメリカの反蔣介石左翼グループの援けによって、(台湾を)脱出した」と、キッシンジャーが、つけ加えた。

解禁された極秘文書の引用は、ここで終わっている。

ここに出てくる彭明敏は、台湾独立運動の旗手として、当局に厳しく監視されていた人物である。彼は一九七〇年に監視をかいくぐって、台湾を脱出した。その脱出行については、このあと紹介する。

周恩来と、ニクソン、キッシンジャーとの応酬は、中国が台湾において、蔣介石の国民党政権が倒されて、台湾が独立することを、どれほどまで恐れていたのかを、物語っている。

ニクソンとキッシンジャーが訪中した一九七二年には、米ソ間の冷戦が最高潮に達していた。

ニクソン大統領はソ連に対抗するために、それまでアメリカがとってきた中国敵視政策を捨てて、政治的な打算から、中国と手を結ぶことを決意した。

この時、中国は中ソ戦争を心底から脅《おび》えていた。あれほど、米帝国主義を許すことができない敵とみなしていたのに、節を枉《ま》げて、ニクソン大統領の訪中を、両手を拡げて歓迎した。

そのために、ニクソン夫妻が乗った大統領専用機《エアフォース・ワン》が北京空港に着くと、中国がアメリカを激しく非難していた、ベトナム戦争の真只中だったのにもかかわらず、タラップの下まで赤絨毯《じゅうたん》を敷きつめて、周恩来首相自らが親しく出迎えた。ベトナム人民を裏切るものだった。

ソーンベリー牧師の台湾着任

ソーンベリー牧師によれば、一九三〇年代のアメリカにおける中国のイメージは、きわめて好ましいものだった。

一九三七（昭和十二）年に日本が満州を「侵略」すると、アメリカのニュース映画や、新聞、雑誌、娯楽映画が、蔣介石によって率いられて、「残虐な」日本と戦う中国人を、高貴《ノーブル》な人々として描きたてた。蔣介石と宋美齢《そうびれい》夫人は、アジアの英雄《ヒーロー》として祭り上げられていた。ソーンベリー少年も、そう信じきっていた。

また、アメリカのメソジスト教徒にとっては、広大な中国がキリスト教徒によって、治められていたことも好材料だった。

というのも、宋美齢夫人と、その父親で上海の大富豪だったチャーリー宋《スン》がメソジスト教徒であり、蔣介石自身も宋美齢と結婚した一九三〇（昭和五）年に、メソジスト派信者として洗礼を受けていたからだ。

蔣介石が率いる中国国民党は、中国大陸で毛沢東という極悪人が牛耳《ぎゅうじ》る共産軍と戦っていたが、一時的に敗れたために、一九四九（昭和二十四）年に大陸から台湾に移って、反攻の機会を窺《うかが》っていた。

それまで、メソジスト教会は台湾で布教したことがなかったが、宣教師たちは国民党軍に従って、台湾に逃れた。

ソーンベリー牧師は、アメリカの二人の男女のジャーナリストが、中国について一九四六（昭和二十一）年に著わした『中国から響く雷鳴《サンダー・アウト・オブ・チャイナ》』を読んで、蔣の中国国民党にすっかり幻滅してしまっていた。

この本は、蔣介石政権が中国共産党に追われて、一九四九年に台湾に逃げ込む三年前に出版されたが、毛沢東の共産党軍が大陸で勝利を収めつつあったのは、共産党にけっして正義があるからではなく、蔣の国民党が救い難いほどまでに腐敗しきっているからだと、真相を暴《あば》いていた。

ソーンベリーは赴任地として、香港、シンガポール、フィリピンの順番で希望したが、教会から台湾へ赴任するように、命じられた。ニューヨークで北京語の勉強をはじめて、一九六五（昭和四十）年夏にジュディス夫人と台湾に到着した後にも、研修が続いた。

台北で二人のあいだに、長女のエリザベスが生まれた。

台湾到着後のソーンベリーは、アメリカ政府とメソジスト教会が、蔣介石政権を支持していたために、中華民国政権を批判することが、許されなかった。だが、蔣政権が苛酷な圧政を行なっていることを肌で感じたために、しだいに息苦しさを覚えるようになった。

台湾のメソジスト教徒といえば、日本統治時代に宣教師が送られることがなかったために、蔣政権とともに台湾に逃げてきた大陸人ばかりだった。アメリカから届く新聞や、雑誌は、国民党政権による検閲によって、蔣政権を批判した記事はすべて、まっ黒に墨で塗り潰されていた。

蔣介石の暗黒政治に立ち向かう人々

台北に到着した翌年の春に、ソーンベリー牧師は、同じアメリカ人の長老派教会の宣教師から、「台湾における悲惨な政治の状況」の現実を知りたいか、たずねられた。

同意したところ、彭明敏氏について説明された。

彭明敏氏は台湾人で、日本統治時代に祖父が長老派教徒となって、台湾人として最初の牧師に叙任されていた。父君は医者だったが、すでに亡くなっていた。

彭氏は第二次大戦後、カナダのマギル大学に学び、パリのソルボンヌ大学で国際法の博士号を取得したうえで、一九五四（昭和二十九）年に台湾に戻った。

帰台すると、台湾でもっとも権威がある国立台湾大学に迎えられ、最年少の政治学部長となった。台湾大学は日本時代の台北帝国大学だが、今日、台大《タイダ》として知られる。

彭氏の絢爛《けんらん》たる経歴が続くが、ヘンリー・キッシンジャー博士とともに、ハーバード大学のセミナーに招かれている。

その後、中華民国国連代表部に加わったが、アメリカにおける台湾独立運動について、内偵《スパイ》するように命じられた後に、国民党政権に離反した。

彭明敏氏は一九六四（昭和三十九）年に、「台湾自救運動宣言」と題して、台湾国民に蔣政権の信任を問おうと呼びかける文書を、台大の大学院生と、中央研究院助手の教え子の二人とともに起草して、配布したところ逮捕された。

彭氏は軍事法廷によって懲役八年の実刑判決を受け、二人の教え子も、それぞれ懲役八年と一〇年の刑に処せられた。ところが、彭氏は海外の学界で知名度が高く、アムネスティ・インターナショナルが即時釈放するように要求したことから、政権が対外的なイメージを保つために、彭氏だけを一年二カ月後に釈放した。

ソーンベリー夫妻は翌週の日曜日に、彭明敏氏の自宅に招かれた。夫妻の家から、タクシーで一〇分あまりの距離にある、台湾大学の官舎だった。彭氏は教鞭をとることを禁じられていたが、まだ官舎に住むことを許されていた。

彭氏は夫妻を温かく迎えた。この時、彭氏は四十三歳だった。

二人は彭氏から蔣政権が台湾で暗黒政治を行なっており、酷政のもとで、おびただしい数にのぼる台湾人が、政権を少しでも批判するか、反政府活動にかかわったというかどで、投獄されていると語った。

彭氏が「台湾人は蔣介石とともにやってきた大陸人を、マルクス主義と同じように、嫌悪しきっている。われわれにとって、蔣も、毛も、同じようにおぞましい」と、打ち明けた。台湾人は「一つの中国と、一つの台湾」を望んでいた。

ソーンベリー夫妻は蔣介石が台湾を占領して、圧政を敷いている中華民国が、大陸の共産中国に対して「自由中国《フリー・チャイナ》」であると称して、アメリカもそのように呼んでいたが、「自由」でも、「中国」でもないことを、確信するようになった。

彭氏の官舎の前には番小屋が設けられ、つねに四、五人の公安の係官が詰めて、挙動を監視していた。ところが、いつも深夜になるとさぼって、翌朝まで職務を放棄していた。

そのために、彭氏は深夜になるとしばしばソーンベリー夫妻の家を訪れた。

台湾では公安の手によって、突然、姿を消して、消息を絶つ者が絶えなかった。事故を装って抹殺される者もいた。

そのうえ、政権によって、その家族や一族へ見せしめのために、徹底した迫害が加えられていた。もし、家族の者が働いているとしたら、雇い主にただちに解雇するように圧力がかかり、職を求めようとしても妨害を受けたので、生活に窮するようになった。

ソーンベリー夫婦は、同じアメリカ人宣教師や、在台アメリカ人の良心に訴えて、秘かに同志を募った。

ほどなくして、ソーンベリー牧師と同志たちは、秘密裡に連絡をとり合う時のために、彭氏を「ピーター」という名で呼ぶことにした。ピーターは新約聖書にでてくるペテロの英語読みで、ペテロは「岩」を意味している。ペテロはイエスの十二使徒の筆頭で、イエスの死後にヨーロッパへ渡って、キリスト教会の礎《いしずえ》を築いた。

ソーンベリー牧師は、アメリカ大使館員も同志として獲得した。大使館員であると、在台米軍のＰＸで買物する特権を与えられていたので、アメリカ製の謄写印刷機を一台手に入れてもらった。二〇〇ドルしたが、この大使館員が寄付してくれた。

ソーンベリー牧師は、アメリカ国民に台湾人の窮状を訴えるために、台湾の実状を暴く文書を刷って、アメリカへ秘かに送った。

蔣政権は蔣介石を王朝の皇帝としていたが、ファシズムと、共産主義と、中国の伝統的な暴政《デポティズム》を、一つにしたものだった。

ソーンベリー牧師は、蔣政権によって逮捕されるか拉致された人の家族や一族が、生活に困窮しているのを助けるために、アメリカ国内の教会の有志の協力をえて、募金した。その資金を、香港のアメリカ人同志に送らせて、香港経由で秘かに台湾に持ち込んだ。義捐金《ぎえん》は、台湾独立運動に携わる台湾人たちの手によって、配られた。

多くの正義感に溢れるアメリカ人宣教師が、協力するようになった。

蔣政権は長いあいだにわたって、ソーンベリー牧師夫妻や、同志たちの活動に気づくことがなかった。

彭明敏氏を国外に逃がす計画の進行

やがて、信頼できる台湾人からの情報によって、政権が彭氏を殺害して、除去しようとしていることを、確信するようになったソーンベリー牧師と同志たちは、彭氏を台湾から国外へ脱出させることを、企むようになった。

そのような時に、アメリカの新聞に、東ベルリン市民が身分証明書の写真を西ドイツ人の協力者の顔写真と貼り替えることによって、東西の検問所を通り抜けて、西ベルリンへ脱出することに成功したという記事がのった。東西に分割されていたベルリンでは、東ドイツの共産政府が外貨獲得のために、西ベルリン市民が東ベルリンを訪れることを、認めていた。

この記事からヒントを得て、同志たちは、スウェーデンを彭氏の亡命先として選んだ。アメリカは蔣政権と結んでいたから、台湾へ強制送還される可能性があった。日本もまた蔣政権と結託していたし、外国人の人権に顧慮しない非情な国であったから、論外だった。それまでも、日本へ脱出した何人もの台湾の活動家が、台湾へ強制送還されて、投獄され、拷問されていた。

スウェーデンは中華民国と国交がなかったので、その心配はなかった。それに、スウェーデンのアムネスティ・インターナショナルと秘かに連絡をとることができた。

一九六九年に入ると、彭氏を国外へ脱出させる計画が、具体化した。

日本においても、多くの台湾人が祖国台湾の独立を求めて、東京の中華民国大使館の厳しい監視の目を潜って、活動していた。

数少ない義侠心ある日本人が、台湾人による独立運動を援けていた。日本人のミュージシャンのK氏が、彭氏の脱出のために一役買うことを申し出た。

手に汗握る脱出行の一部始終

脱出行は、一九七〇（昭和四十五）年一月に断行されることに決まった。冬でなければ、失った片腕を隠すために（彭氏が戦時中に左腕を失ったことについては後述）、厚着することができなかった。

その数カ月前に、牧師のもとにK氏のヒッピー風の顔写真が届けられ、彭氏は写真に似せて、数週間前から自宅に籠《こ》もり、髪を伸ばして長い髭《ひげ》を蓄えていた。

K氏が観光ビザを使って、台北に着いた。

ソーンベリー牧師と同志は、パスポートを受け取ると、剃刀《かみそり》を使って、K氏の顔写真を薄く剝《は》ぎ取り、そのかわりに薄く切ってあった、彭氏の写真を貼った。写真を薄く切るのは、なかなか難しかった。そのために、稽古を重ねた。

そのうえで、写真の上からあらかじめ入手していた器械を使って、日本の外務省の印章が浮き彫りになるように、押印した。

牧師の同志たちは、K氏の名で、一月三日に香港へ向かう日航機の搭乗券を購入した。資金は同志の長老派教会のアメリカ人宣教師が、教会建物の修繕予算として送られてきたなかから、流用してくれた。

彭氏は上着の左腕に詰め物をして、滞在中に食堂で火傷をしたと偽って、贋《にせ》の腕を三角巾で首から吊ることにした。

彭氏にそう伝えると、「出国する時にもし質問されたら、怒った顔をして、『あの食堂を訴えるつもりだ』と答えよう」といって、朗《ほが》らかに笑った。

二人のアメリカ人宣教師が、彭氏が三日午後十時の日航機の香港便によって出発するのを、台北の中正《ちゅうせい》空港まで見届けに行った。中正は、蔣介石の雅号だった。

ソーンベリー牧師の回想録のなかで、このくだりを読むと、手に汗を握るようなサスペンスに満ちている。

彭氏は首から白い大きな三角巾で、偽装した左腕を吊り、事前に買い求めたギターを、肩から紐で下げて、入管を無事に通り抜けた。

二人の宣教師が空港建物から、彭氏が日航機のタラップをあがって、機内に姿を消すのを確認した。

ソーンベリー夫妻と同志が、空港から一五分あまりのところにある、アメリカ人宣教師のアパートで待っていると、見届けに行った二人が予定よりもかなり遅れて、彭氏が首尾よく発ったという知らせをもって、戻ってきた。

全員でそのために用意していた、赤ワインで祝杯をあげた。

夫妻が自宅に帰ってから、翌朝、ソーンベリー牧師が出かけた後に、香港の宣教師から電話が入った。留守番をしていたジュディス夫人が受話器をとると、「ふたごが生まれた《バース・オブ・ツインズ》」という、知らせがあった。

彭氏が無事に着いたら、「ふたごが生まれた」という隠語で知らせることを、申し合わせていたのだった。

彭氏は香港から、スウェーデンのストックホルムに向かい、打ち合わせていた通りに、ストックホルム空港でアムネスティ・インターナショナルの出迎えを受けた。彭氏がストックホルムに着いたことは、しばらく秘密にされた。

K氏は、彭氏が台湾からの脱出に成功した後に、台北の日本大使館に旅券を紛失したと届け出て、再発行を受けて、台湾を出国した。台湾は恐怖政治のもとにあったから、勇敢な行動だった。

スウェーデン政府は彭明敏氏を政治亡命者として、直ちに受け入れた。ソーンベリー牧師は彭氏が脱出してから二〇日後に、ストックホルムの彭氏から、いつもの香港の宣教師を経由して、私信を受け取った。

ところが、蔣政権はこの時点でも、彭氏が国外へ出たことに、まったく気づいていなかった。

この日、台湾の新聞記者が記者会見の場で、彭氏が「アメリカにいるという噂があるが、どうか」と、質《ただ》した。すると、国民党政府の報道官が真向から否定して、「間違いなく台湾にいる」と、答えている。

それでも、蔣政権もほどなくして彭明敏氏がスウェーデンにいることを、認めざるをえなくなった。

蔣政権の面子《めんつ》を、丸潰れにするものだった。政権は彭氏が国外へ脱出した事実を認めて、発表することを強いられた。いつものように政権が操った記事は、彭氏が国外へ出たのは、CIAが介在して、米軍機が使われたと示唆していた。それ以外に、台湾の外へ脱出する手立てがあろうとは、想像できなかったのだ。

後に分かったことだが、彭氏を監視していた公安チームは、上司に彭氏が台湾国内を三週間にわたって、旅行していると報告して、尾行するのにかかった経費を、請求していた。

そのあいだ、彭氏が各地で一流ホテルに宿泊し、高級中華料理店で食事をして、しばしば映画館に行ったことにして、同じホテル、料理店、映画館の実費などを、着服していた。

政権はそのために、彭氏が台湾にいることを、信じ込んでいた。多数の公安幹部が責任をとらされて、投獄されるか更迭されるかした。

在ストックホルム日本大使館の見苦しい振舞い

一九七一年に、ソーンベリー牧師夫妻は「中華民国政府に対する好ましくない活動《アンフレンドリー・アクト》」を犯したかどで、国外強制退去処分となった。アメリカ大使館も反対しなかった。

ソーンベリー牧師夫妻が政権を批判する文書を撒布し、政治犯の家族を援けていたことが、発覚したのだった。だが彭明敏氏の国外脱出に当たって、ソーンベリー牧師が中心的な役割を果たしたことは、前述の牧師による回想録が二〇一一（平成二十三）年に出版されるまで、明らかにならなかった。

一方、彭明敏氏が亡命中の一九七二（昭和四十七）年に、『自由を味わって《ア・テイスト・オブ・フリーダム》　ある《メモリー》・フォーモサ独立運動のリーダー《オブ・ア・フォーモサン・インディペンデンス・リーダー》の回想』（ホルト・ラインハート・アンド・ウィンストン社）と題する著書が、ニューヨークの出版社から刊行された。

彭氏は回想録のなかで、日航機によって台湾脱出に成功した瞬間のことを、こう述べている。

「機窓から覗くうちに、島（注・台湾）の灯がしだいに遠くなって、消えた。もう公海の上に出たのだ。もはや国民党政権の公安の手が届かないところにいると思うと、私の全生涯で、かつてなかった自由の快感を味わった」

彭氏はこの回想録が刊行されるのに当たって、意図的に台湾を「フォーモサ」と呼んだ。蔣政権も、中国も、台湾を台湾と呼んでいたからだった。

彭氏はスウェーデンに到着すると、アムネスティ・インターナショナルによって、温かく迎えられ、スウェーデン政府は海外で通用する旅券に代わる身分証明書を、発給した。

さらには民族学についてまったく素人だった彭氏を、ストックホルム民族学博物館の上級研究員として勤務することの世話までした。

中国政府も、彭氏の台湾脱出を、蔣政権と申し合わせたように、「中国を二つに分裂する工作を請負《うけお》う裏切り者、アメリカの手先」として、激しく非難した。

彭氏はイギリス、フランスの学究機関によって招かれた末に、アメリカのミシガン大学に招聘《しょうへい》されて、スウェーデンをあとにした。

私はスウェーデン外務省の高官だった友人から、当時の日本の三宅喜二郎《みやけきじろう》駐スウェーデン大使が、スウェーデン政府の物笑いの種になったという話を、聞いた。三宅大使がスウェーデンの出入国管理局長のもとを訪れて、彭氏のスウェーデン逗留《とうりゅう》が、スウェーデンの利益にならないと警告した。そのうえ、書記官を管理局に派遣して、彭氏の日本への入国は認められないと、通告した。

彭氏がどこへ行こうとも、スウェーデン政府にはまったくかかわり合いがなかったし、日本へ向かうことを、スウェーデン政府が禁ずることが、できるはずもなかった。それになにより、彭氏は日本へ入国することを、望んでいなかった。管理局の幹部は、日本が彭氏の入国を拒みたいのなら、主権国家としてそうなさればよいと、皮肉をこめて忠告した。

それでも、日本大使館の一等書記官が、民族学博物館のアジア部長を訪れて面会を求め、彭氏の日常の挙動や、将来いったい何を希望しているのか、質《ただ》したりした。一等書記官は、懲《こ》りもせずに、何回も博物館にやってきて、執拗に情報を求めた。日本は「親台派」の佐藤栄作《さとうえいさく》内閣のもとにあったが、蔣政権の要請を受けて、東京からの訓令に接していたのだろう。

アメリカは朝鮮戦争が起こると、中国から台湾を守るために、蔣政権を活用することになったから、台湾において人権が侵害されているのには、目を瞑《つむ》った。

ワシントンはニクソン訪中後も、共産中国を信用しなかったので、蔣政権をアジア戦略の駒《こま》として用い続けた。

日本にいて戦時中に片腕を失った彭明敏氏

私も、彭明敏氏とは親しかった。人柄が素晴らしく、どのような意見にも耳を傾けた。心が広いのに、揺らぐことのない信念を堅い芯として、もっておられた。

二十世紀のドイツの代表的作家だったトーマス・マンが、一九三三（昭和八）年にナチス政権が出現した故国のドイツから、亡命した後に、「多くの知識人が寛容でありすぎて、ノーというべき時に、ノーとはっきりといわなかったことが、ナチスの跳梁《ちょうりょう》を招いた」と記したことを、思い出した。彭氏は台湾の内外で、「台湾独立運動の父」として、慕われてきた。

彭氏は日本本土に留学して、京都の旧制三高を卒業した後に、東京帝国大学に進み、在学中に、空襲下の東京から長野県にしばらく疎開した。

その後、長野県から、長兄が医者として開業していた長崎県へ移ることにした。ところが、長崎から三〇キロあまり離れている為石《ためし》村（現在の長崎市為石町）へ船で向かう途中に、米艦載機の機銃掃射を受けて、左腕を失った。

兄の家で療養中だったが、広島に「新型爆撃」が投下されたという新聞記事を読んだ翌日に、今度は屋内で原爆投下の強い閃光を体験した。

台湾から脱出に成功した後に、国民党政権によって指名手配を受けたが、一九九二（平成四）年に李登輝《りとうき》政権になって解除され、脱出から二二年後に、ようやく長い流離《さすら》いを終えて、帰台することができた。

一九九六（平成八）年に台湾における最初の直接選挙が行なわれた時に、彭氏は野党の民進党の総統候補として立って、現職の李登輝氏（国民党）に挑んだが、敗れた。

二〇〇〇（平成十二）年になって彭氏は、陳水扁《ちんすいへん》総統の資政（上級顧問）に、就任した。

私は彭氏を総統府の執務室にたずねたり、台湾や、日本、海外で催された国際会議でご一緒した。最後にお目にかかったのは、二〇〇五（平成十七）年に南太平洋の夏が老いることのないフィジー共和国で、太平洋島嶼《とうしょ》諸国によって「太平洋圏における民主主義」会議が催され、私が基調講演をするために招かれた時だった。

『ファイアプルーフ・モス』という題名は、著者のソーンベリー牧師とその一家が、台湾独立運動を援けたために、一九七一（昭和四十六）年三月に、蔣介石政権によって、国外追放された時のアメリカ国務省による報告書から、来ている。

そこには、「台湾が独立すべきだと信じて、まるで『火に焦されない蛾《ファイアプルーフ・モス》』のように、台湾の地下独立運動を援ける、アメリカの無謀な大学院学生や、宣教師が後をたたない」と、書かれていた。

この国務省文書も、後に機密指定が解除されて、公開された。

蔣介石政権の底知れぬ腐敗ぶり

私は高校時代から、ジョージ・オーウェルの『一九八四年』『動物農園』や、アンドレ・ジイドの『ソビエト紀行』、アーサー・ケストラーの『真昼の暗黒』などを読んで、共産主義が非道きわまるものだと知った。これらの著作は、いまでも全体主義について書かれた、必読の本である。

私は一九五〇年代の後半にアメリカに留学したが、そのときに、大戦中、蔣介石政権の臨時首都となった重慶《じゅうけい》に滞在したアメリカのセオドア・ホワイトとアナリー・ジャコビーという二人の男女の新聞特派員の共著による『中国から響く雷鳴《サンダー・アウト・オブ・チャイナ》』を読んでいた。この本は奇《く》しくも、先のソーンベリー牧師が、蔣介石政権が腐敗しきっていることを、はじめて知った本でもあった。

ホワイトとジャコビーは、蔣政権が横領や賄賂《わいろ》によって「芯まで腐敗していた《コラプト・トゥ・コア》」「アメリカは蔣介石が民主主義とは無縁で、蔣政権が腐敗しきっていることを承知していたのにもかかわらず、支持していた」と、糾弾していた。

アメリカ国務省が一九四九年八月に発表した、『ザ・チャイナ・ホワイト・ペーパー

（中国白書）』も、留学中に読んだ。五〇〇ページを超える、長文のものだった。白書は、トルーマン大統領によって、連邦議会に送られた。

トルーマン大統領が白書の冒頭で、中国国民党政権がどうして共産軍に対して敗北したのか、詳しく説明しているが、「アメリカの援助が不十分であったからでは、けっしてない」と、釈明している。

「一九四八（昭和二十三）年まで、国民党軍が武器や弾薬が不足していたために、戦闘に敗れたことは、一度たりとなかった。国民党は戦争初期の段階から、戦う意志を持っていなかった。指導層が危機に立ち向う能力を欠き、将兵が戦意を欠いていた」

と述べて、アメリカの対中政策が失敗に終わったことについて、弁明している。

白書は、蔣介石政権が「上から下まで、腐敗《コラプション・アンド・インエフィシエンシー》によって蝕まれ、無能である」「貪欲《グリード・アンド》と無能力《インコンピテンス》であることによって、悪名が高い」と、非難してやまなかった。

この二冊の本も、私に中国人の民族性について、蒙《もう》を啓《ひら》いてくれた。その後、アメリカへ戻った時に古本屋で求めて、所蔵している。

今日の中国も、まったく変わっていない。三〇〇〇年にわたる中国の歴史が、中国人の鋳型をつくっている。

私はそのころから、毛沢東政権のおぞましさについて、『ニューヨーク・タイムズ』や、『ロンドン・タイムズ』をはじめとする海外の報道によって知っていたので、共産中国を恐れた。

なぜ、日本の新聞によって、知ることができなかったのだろうか。

日本の大手新聞社とテレビ局は、一九六四年に、中国と日中記者交換協定を結んで、

「一、日本政府は、中国を敵視してはならない。

二、米国に追従して『二つの中国』をつくる陰謀を、弄《ろう》しない。

三、中日両国関係が正常化の方向に発展するのを、妨げない。中国政府(中国共産党)に、不利な言動を行なわない」

ことを、誓約していた。

日本の新聞、テレビ各社は、情ないことに自ら進んで報道の自由を否定して、偏向報道を行なうことによって、国民の負託を裏切ってきた。日本国民の中国観を歪めた大きな責任が、大手のマスコミにもある。

台湾人を思うままに虐《しいた》げた蔣介石政権

私が台湾人が大陸から来た中国人に対して、深い怨《うら》みをいだいていることを、直接、教えられたのは、一九五九（昭和三十四）年のことだった。

私は取材のために、麻布《あざぶ》にあった中華民国大使館を、しばしば訪れた。中華民国大使館となる前は、満州国大使館だった。そのまた前は、後藤新平の屋敷だった。日中国交正常化後に、中国大使館となった。

その時に応援してくれたのが、中華民国大使館の広報担当書記官のS氏だった。

S氏は台湾人だったが、日本語がよどみなかった。ある時、S氏が、大陸から逃れて台湾を占領した国民党政権によって、台湾人がいかに苛められてきたか、嘆くのを聞いた。はじめて、私は台湾人の悲哀について、肌で知った。

蔣介石政権のもとの台湾は、アメリカのマスコミによって、第二次大戦中と同じように「自由中国《フリー・チャイナ》」と、呼ばれていた。

だが、その「自由中国」は、台湾人を思うままに虐《しいた》げていた。

私は出版社に依頼されて、一九六〇年代から、台湾をしばしば訪れるようになった。

台湾は大陸情報の宝庫だった。大陸の動向に、中華民国政府の存亡がかかっていたからだ。

蔣介石政権のもとでは、台湾に入国するのに当たって、政権を批判する記事が載った英文や、日本語の新聞や雑誌は、税関で没収された。

台北は、中華民国の臨時首都だった。国民党政権によって街路が、南京《ナンキン》東路、重慶《じゅうけい》南路、長春《ちょうしゅん》東路、西寧《せいねい》北路、済南《さいなん》路、杭州《こうしゅう》路、錦州《きんしゅう》街といったように、中国大陸の主要都市の名に、つけ変えられていた。中山《ちゅうざん》(孫文《そんぶん》の号)北路、光復《こうふく》南路、忠孝《ちゅうこう》東路、建国《けんこく》北路、復興《ふっこう》南路もあった。

「光復」は、日本から台湾を回収して、光が戻ったのを意味していた。日本統治時代は暗黒によって、閉ざされていたのだった。

私はアメリカの文献を読んで、蔣介石政権が重慶に逃げ込んでから、重慶の街路の名を同じようにつけ変えたことを知っていたので、手慣れたものだと思った。

台北は整然と計画された、近代都市である。日本が清から台湾の割譲を受けるまでは、古い道路が狭く入り組んで、家屋の外に屎尿《しにょう》や、塵芥《じんかい》が、捨てられていた。日本統治下で、日本でも珍しかった近代都市に、造り替えられた。

台湾のどこへ行っても、「反攻大陸」「毋忘在莒《うわんざいじゅ》」といった、政権のスローガンが大きく書かれていた。蔣政権は台湾に一時、「退守」したものの、大陸をかならず奪い返すと、呼号していた。

毋は日本にはない漢字だが、「ならない」を意味している。中国の古代七王朝（紀元前一〇五〇年頃〜二七六年）の一つだった斉《せい》（今日の山東省《さんとう》にあった）の王が燕《えん》によって追われ、殺されたが、太子が辺境の莒城《きょ》に立て籠もって、「毋忘在莒」を胸に刻んで苦節を耐えしのび、前二七九年に国土を回復したという故事に、基づいていた。

国民党政権は「孤守台湾」といって、台湾で孤立していたが、中国全土を支配している政権であると、称していた。「反攻大陸」を叫んでいなければ、少数の外省人が台湾を統治する正統性を、失うことになった。

蔣介石総統の銅像があらゆるところに、建っていた。台湾全島に蔣総統の銅像が、数万体もあるということだった。台湾人にとっては悲しいことだったから、笑ってはならなかったが、外から訪れる者にとっては、滑稽《こっけい》としかいえなかった。個人崇拝は、全体主義体制の病いだった。

台湾人の友人と、敦化《とんか》北路と敦化南路がぶつかるロータリーを、タクシーで通った時に、蔣総統が馬を駆っている銅像が建っていたが、日本統治時代の第四代の台湾総督だった児玉源太郎大将の像から、頭部だけを切り取って、蔣総統の頭とつけ替えたものだと、運転手が教えてくれた。車を停めてもらって、降りてよく見ると、蔣総統が日本の陸軍将官の軍服を着ていた。

どの店に入っても、笑うべきことに、中華料理店のメニュウに「北京《ベイジン》ダック」が見つからなかった。かならず「北平烤鴨《ペイピン》」だった。台北が中華民国の臨時首都で、南京がいまだに中華民国の首都だと、されていたからだった。毛政権が北平を首都として、清朝時代の北京という名を復活していたが、蔣政権にとって、北京は北平でなければ、ならなかった。

だが、蔣政権が大陸の主人公に、再びなれるはずがなかった。

台湾語も、愛唱歌も禁じた国民党

私のアメリカの多年の親友であるアルバート・アクセルは、一九六〇年代にアメリカの主要新聞の台北支局長をつとめていた。アクセルは取材のために、台湾海峡をパトロールする第七艦隊の駆逐艦に、便乗することを許された。

国民党海軍の提督も招かれて、艦橋に立っていた。艦は福建省の沿岸が肉眼によって望める領海をかすって航行した。

厦門《アモイ》の沖合にさしかかった時に、この提督が艦長に「港内に破損したわれわれのタンカーがあるので、どうしても見たい。港にできるだけ、接近してほしい」と、要求した。艦長は拒否した。おそらく提督は、米中が交戦することを、望んでいたのだろう。アクセルは安堵の溜息を、もらした。

アクセルは一九六四年に、蔣介石夫人の宋美齢に独占インタビューを行なった。宋夫人はアメリカの一流女子大学に学んで、アメリカでは〝スーン・メイリーン〟として、親しまれていた。アクセルは宋夫人が、「アメリカは毛《マオ》の大陸に、原爆を何発か、見舞うべきです」と語って、婉然《えんぜん》と笑ったので、啞然《あぜん》とした。確かめると、この発言はオフレコではなかった。

私は台湾人が虐《しいた》げられてきたことを、承知していたものの、ソ連と中国が日本の主敵だったから、日本にとって国民党政権と結ぶことが、必要だと信じた。中国はソ連と、結んでいた。台湾が敵の手に陥るようなことが、あってはならなかった。

私は台湾の人々に同情したものの、中華民国を支持する立場をとった。もし、独立運動によって、台湾のなかが混乱することがあれば、台湾が危うくなると考えたから、独立運動を援けることを、躊躇《ちゅうちょ》した。国民党政権のもとにある台湾を擁護することが、台湾島民を守ることになると、信じた。

国民党政権は台湾にやってくると、日本色を一掃するために、日本語をはじめとして、日本にまつわるものを、いっさい排除した。北京語を公用語として強制して、台湾語も排斥した。台湾語は学校教育の場をはじめ、公的な場で使うことが、禁じられた。

私は二〇〇七（平成十九）年に、日台の教育者の研究会に招かれて、訪台した。

会議で会った台湾人の中学校教員が、懇親会の席上で、少年時代を回想してくれた。

「私は一九五二年に国民（小）学校に入りましたが、『国語』は中国（北京）語です。教科書の一冊目は、『我是中国人《ウオシツオンコウレン》、你是《ニイシ》中国人、他是《タアシ》中国人（ぼくは中国人、君も中国人、彼も中国人）』と、書かれていました」

そこで、外省人がすぐ近くにいないことを、確かめた。

「ところが、私たち子どもは、台湾語で読むと、『餓死中国人《ウオシツオンコウレン》（中国人を餓死させよう）、捏死《ニイシ》中国人（中国人を絞め殺そう）、踏死《タアシ》中国人（中国人を踏みつぶそう）』の発音になるので、そういって、みんなで笑っていました」といって、笑った。

もっとも、私が台湾を訪れるようになったころには、蔣政権は日本と良好な関係を結ぶことを求めていたので、私たちは厚遇された。

台湾人によって「日据世代《イルチスータイ》」と呼ばれる日本語世代の人々が、まだ、中年で働き盛りだった。街で日本人だと分かると、すぐになつかしげに日本語で話した。

そのころ、台北で拾ったタクシーの運転手から、日本語で話しかけられた。

「このあいだ早朝に、日本人の客を二人、ホテルから一時間半ほどかかる、ゴルフ場まで乗せたことがあってね。ところが、四〇分も走ったところで、聞いていると、こともあろうに、天皇陛下の悪口をいった。

私はすぐに車を停めて、『お前たち、天皇陛下を侮辱した。ここで降りなさい』といって、田舎道の真中で、ゴルフバッグと一緒に、放り出したよ。金《かね》は取らなかったよ」

と、いった。

もう、日本にこのような日本人はいなくなった。

あのころは、「雨夜花《ウーヤーフエイ》」「望春風《バンチユンフオン》」「補破網《ポプアパン》」といった、台湾人だったら、いまでも全員が知っている歌が、国民党政権によって、禁じられていた。

「補破網」は、漁師が網を破られる苦労を切々と訴え、いくら努力しても、暮らしが少しも楽にならないという、哀切がこもった歌詞である。国民党政権に対する批判につながりかねないとして禁じたのは、それなりに理解することができた。

それよりも、台湾人が誰でも知っている愛唱歌を歌うと、台湾人が心を一つにして結束することを、恐れていたのだった。もちろん、台湾人は隠れて歌い続けた。これらの歌は、李登輝政権になってから、ようやく解禁された。

続々と大陸から台湾に渡ってくる国民党の兵士

私はアメリカの多くの文献によって、一九四五（昭和二十）年八月に日本が敗れて連合国に降伏した後に、台湾において、いったい何が起こったのか、学んだ。

台湾では、日本が八月十五日に降伏した後にも、中国軍が大陸から進駐してくるまで法秩序が守られ、人々が平穏な生活を続けていた。

九月一日、基隆《きいるん》港に何の予告もなく、日本海軍の駆潜艇に乗って、二人の中国軍の陸軍将校と三人のアメリカ兵が、大陸の福建省厦門《アモイ》から到着した。

日本の軍官が出迎えると、五人は連合軍捕虜の実情を調査するために先遣されたといった。中国軍将校は、数人の料理人と使用人を連れていた。

国民党政府軍の大佐の肩章をつけた中国人将校が、張《ちょう》と名乗って、五人の「台湾滞在中の費用」として、米ドル二〇万ドルを現金で要求した。二〇万ドルを受け取ったものの、その後、台湾にいるあいだに費《つか》った形跡はなかった。

五人が連合軍捕虜について調査することは、まったくなかった。二人の中国将校はアメリカの下級将校と兵を連れて、日本に協力して財を成した台湾人の実業家や会社名をたずねまわった。アメリカ兵はただ、わきにいた。

その後、中国人将校が国民党政権の調査統計局に所属していることが、判明した。アメリカの文献のなかで、調査統計局はその名にもかかわらず「蔣介石の秘密警察《ゲシュタポ》」と、説明されている。ゲシュタポは、ナチス時代の悪名高い秘密警察である。

その四日後の九月五日に、基隆港にアメリカの海軍輸送船が入港して、アメリカ軍の調査隊が上陸した。

今度は、本物だった。二日以内に、一三〇〇人の連合軍捕虜を収容所から解放して、輸送船に乗せて連れ帰った。

九月九日に、昆明《こんめい》からアメリカ戦略局（ＯＳＳ）要員一行を乗せたアメリカ軍輸送機が、台北の松山飛行場に降りた。目的はただ一つ、台湾にいる共産主義者について調査することだった。一行は台湾総督府の特別高等警察部を聴取した。

そのあとを追うように、アメリカ陸軍航空隊の墓地調査隊が、台北に入った。台湾上空で撃墜されたアメリカ軍搭乗員を埋葬した墓の所在を調べることが、目的だった。

どの調査隊も、日本軍の降伏を受領する権限がなかった。連合国の合意によって、台湾にあった日本陸海軍は、蔣介石政権に対して降伏し、武装解除を受けるように定められていた。

日本が降伏してから、六週間も過ぎた九月三十日になって、はじめて国民党先遣隊が台湾の接収を準備するために、空から台北に入ってきた。

十月五日に、葛敬恩《かつけいおん》将軍が台北に着いた。

葛は台湾人を前にして、「台湾に光復（光明が戻る）がおとずれ」、「いまや中華民国台湾省」であり、「台湾島民は五〇年にわたった日本による占領を蒙《こうむ》って、偉大な中華文明の恩恵に浴することがなかったために退廃し、野蛮な習俗に染まった」と、雄弁を振るった。誰もが、日本統治が終わったことを実感した。

同じ日に、一万二〇〇〇人の国民党軍将兵がアメリカの輸送船に分乗して、基隆港に到着した。

下船した国民党軍兵士は、軍服が不揃いで、不潔《アンケプト》、規律を欠き《アンデシプリンド》、読み書きができず《イリタレイト》、なぜか怯えていた《フィアフル》。傘《かさ》や、鍋釜《なべかま》を背負っている兵が多かった。

指揮官が日本軍によって待ち伏せされることを恐れて、輸送船に乗っていたアメリカ軍が先行しなければ、行進することを拒んだ。

前出の彭明敏氏は、日本が戦争に敗れると、台湾へ戻り、高雄《たかお》にある尊父の家に身を寄せた。父は婦人科医院を開業しており、高雄の名士だったから、敗戦の十月に国民党軍が進駐した時に、歓迎委員会委員長を引き受けた。

彭氏の回想録に、高雄港に「アメリカの輸送船が接岸した」時の父親の体験が、語られている。

「タラップを渡って、勝者の中国軍が上陸した。最初の兵士はみすぼらしく、肩に天秤棒《てんびんぼう》を背負って、傘、布団、鍋をぶら下げて、兵隊よりも、苦力《クーリー》のように見えた。つぎつぎと同じような格好の兵士が続いたが、靴を履いているか、裸足《はだし》だった。数人に一人しか、銃を持っていなかった」

「まったく無秩序だった。その両側に、出迎えの日本軍兵士が規律正しく並んで、形よく敬礼した。父は、日本軍将兵がいったいどう思っているかと想像して、恥入った。そして帰宅すると、私に日本語で、『いや、もし穴があったら、入りたかったよ!』と、嘆いた」

十月二十五日に、陳儀《ちんぎ》将軍が〝ゲイシャ〟出身の日本人妻を伴って、空から台北に入った。陳儀は蔣介石総統によって、台湾省行政長官に任命されていた。

陳儀は動員された台北市民や小学生が沿道に並んで歓迎するなかを、車列を連《つら》ねて、パレードを行なった。小学生たちが配られた青天白日旗の小旗を振りながら、日本語で元気よく「バンザイ」を唱えた。

陳儀はその日のうちに、日本陸海軍の降伏を受領し、台湾が中華民国に回収されたことを、宣言した。

この宣言に対して、アメリカ、イギリスをはじめとする連合国は、台湾の法的地位については、『カイロ宣言』に台湾が中華民国に将来、返還されるべきことをうたっているものの、対日平和条約によって確定されるまで、中華民国の施政下に置かれることになっているにすぎないと、異論を唱えた。

中国人の本性を暴露した恥ずべき行ない

国民党軍は中国人の本性を現わして、民家や、商店に押し入って、手当たりしだいに略奪を始めた。

台湾に進駐した中国兵は、台湾人が先住民族と交婚を重ねてきたために、中国人の顔をしていなかったことから、台湾人をいっそう蔑視した。

じきに、台湾人によって各所の壁に、「狗《カウ》（犬）去猪《キティ》（豚）来《ライ》」という手書きの紙が貼られた。「犬が去って、豚が来た。犬は安全を守ってくれた」という意味だった。それ以来、台湾人が中国人を「豚」と、呼ぶようになった。

国民党軍が進駐した当時の台湾は、アジアにおいて日本を除けば、島民がもっとも高い生活水準と教育水準を享受していた。台湾に上陸した中国兵は、水道も、自転車も、エレベーターも、はじめて見た者が多かった。

陳儀は、蔣介石の多年にわたる腹心だった。蔣と同じ浙江《せっこう》省の出身で、一九二〇年代に国民党軍が上海を攻囲した時に、上海の暗黒街を懐柔して、無血占領することに成功した功績によって、福建省主席となった。

陳は、蔣介石と同じように日本の陸軍士官学校に学び、日本と親しく、台湾ははじめてではなかった。日本の台湾総督府が一九三五（昭和十）年に、台湾統治四〇周年を盛大に祝った時に、福建省長として招かれていた。

日本軍が一九四二（昭和十七）年に福建省を攻略した時には、日本軍と事前に示し合わせて、在任中に一族ぐるみで蓄えた財産をトラックを連ねて持ち去るのを、見逃させることに成功した。

陳は台湾行政府の要職に、台湾人をまったく登用することなく、一族と側近を取り立て、大陸人だけを用いた。日本軍を武装解除すると、接収した兵器、被服、薬品、糧食などを、すべて大陸へ運んで売却して、その売上を着服した。

日本の官民が経営していた事業や、土地、建物、住宅を接収して、一族と側近者に分配した。

中国の為政者は、時代を超えて盗癖を備えてきた。為政者が公私を区別することがなく、天下を私物化する。

日本の資産は、工場の機械をはじめとして、運べるものをすべて大陸に運び、そこで売り払って、一族と側近者を富ませた。日本統治に協力したとみられた台湾人の財産も、没収した。

一九四六（昭和二十一）年に、陳行政長官が大陸で共産党の匪賊《ひぞく》を討伐するために、台湾の青年を徴兵すると発表した。しかし、台湾人がこぞって強く反撥したために、撤回せざるをえなかった。

台湾人は、カイロ宣言によって日本が台湾の領有権を放棄しただけであり、対日平和条約が結ばれるまでは台湾の法的地位が未定であるから、行政府が台湾人を徴兵することはできないと、主張した。

国民党が根こそぎ略奪したために、台湾経済が完全に破壊された。天文学的なインフレが始まり、米をはじめとする農産物の収穫が半減し、工業生産もほとんど失われた。日本統治のもとで高い水準にあった医療と、保健衛生が崩壊した。そのために、ペスト、コレラ、マラリアが蔓延《まんえん》した。総督府が備蓄していたキニーネ（抗マラリア剤）も、大陸へ運んで売ってしまったので、対応しようがなかった。

行政府を少しでも批判する者は逮捕され、多くの者が行方不明になった。

日本統治のもとでは官僚が清廉で、賄賂《わいろ》をとることも汚職を働くこともなかったのに、収賄、汚職が日常のこととなった。日本時代には治安が良かったので、台湾人が家に鍵をかけることがなかったのに、誰もが戸締りを厳しくするようになった。

この間にも、中国大陸では国民党軍が共産軍に対して、敗退を続けていた。

アメリカの蔣介石政権を見る目が、しだいに変わっていった。アメリカは蔣政権に巨額の財政援助と、大量の兵器を与えたうえに、軍事顧問団まで派遣したのにもかかわらず、国民党軍は共産軍の進攻を阻むことが、まったくできなかった。ワシントンは蔣政権が腐敗しきっていることに、愛想を尽かすようになった。

アメリカの新聞特派員の報道によって、陳儀の行政府が台湾において、目に余る略奪を行なっていることが、伝えられた。

「二・二八事件」の始まりと終息

一九四七（昭和二十二）年二月二十七日、台北の円山公園のガジュマル（榕樹《ようじゅ》）の木陰で、生活に困窮していた中年の未亡人が、二人の幼児をつれてタバコを売っていたところ、大陸人の取締官と警察官が闇タバコを取りあげたうえで、わずかな所持金を奪った。大陸ではタバコが専売でなかったのに、陳儀は私腹を肥やすために、台湾では専売制にしていた。そのために、陳儀の側近によって大陸からタバコが密輸入されていた。台湾は同じ中華民国に属していたはずだったのに、中華民国で売られているタバコを、陳王国で売買するのは、違法となっていた。

哀訴嘆願する寡婦を、取締官がやにわに拳銃の把手で殴って、暴行を加えた。台湾人たちが遠くから囲んで、息を殺して見守っていたが、見かねて抗議したところ、やにわに拳銃を抜いて発砲し、市民一人が射殺された。

翌日、多くの台北市民が、行政長官官舎前の広場に集まって、抗議した。すると、衛兵が群衆に容赦なく機銃掃射を加え、二人の市民が死んだほか、多くの負傷者が出た。

民衆が台湾放送局を占領して、スタジオからマイクを通じて、虐殺が行なわれたことを訴え、抗議のために立ち上がるように、呼びかけた。

二日以内に全島にわたって、台湾人が決起した。

陳長官は二月二十八日夜に、全島に戒厳令を布告した。台北を巡回する国民党軍兵士が、市民に対して車上から無差別に発砲した。

大陸において戦況が悪化していたために、当初、台湾に送り込まれた四万八〇〇〇人の国民党軍は、その大部分が大陸へ転用されて、一万一〇〇〇人しか残っていなかった。

三月一日に、島民による台湾暫定国民協議会の代表が、陳と面会して戒厳令を解除することを求めた。そのあいだにも、島内で虐殺が続いた。

翌日、陳長官は事態を鎮静化するために、犠牲になったタバコ売りの女性に慰藉《いしゃ》金を支払うことを約束し、島民代表と二・二八事件処理協議会を設けることに同意した。

ところが、陳の放送中にも、台北の鉄道局前で、兵士が民衆に対して機銃掃射を加え、一二〇人以上の市民を殺戮した。

三月七日に、島民の代表が軍政を廃止して、台湾を自治省とし、自由な選挙を実施することを要求した。要求には、選挙前に行政府に台湾人を登用することや、政治犯の釈放や、税を公正に徴収することなどが、含まれていた。

陳は要求を拒んだが、時間を稼ぐために協議を継続した。そのうえで、南京に首都を移していた蔣介石総統に、増援軍を急派するように、秘かに要請していた。

この時点で島内の多くの市町村が、島民によって支配されるようになっていた。台北市内の各所に、「大中華公司理事長蔣介石、豚の陳儀支店長」「猪去狗回《テイキカウフエイ》（豚去れ、犬戻ってこい）」という落書きが、現われた。公司は会社である。

国民党軍が、台湾から海に追い落とされる危険に、さらされた。

三月八日に、大陸から基隆に一万人、高雄に三〇〇〇人の援軍が到着した。上陸した部隊は、島民を見さかいなく殺傷した。略奪を繰りひろげ、婦女子を強姦した。

弁護士、医師、学校教員、新聞社員、出版社社員、芸術家、事業主をはじめとする知識階級が、逮捕状もなく、手当たり次第に検束され、処刑された。見せしめのために死体が街路に、放置された。陳と協議していた島民代表も、全員が処刑された。

これが、「二・二八事件」である。国民党の記録によれば、二万八〇〇〇人が殺害された。

国民党は共産主義者と、日本人が計画して、組織的に引き起こしたものだと、発表した。

蔣介石による度重なる台湾人大虐殺

三月十二日に、国民党の軍用機が全島を飛びまわって、空から「中華民国大総統」である蔣介石の名による布告を、撒布した。ビラは蔣総統が、陳儀行政長官がとった措置を「全面的に支持し」、「共産主義者と日本の同調者が、騒乱を引き起こした」、「台湾の同胞は日本の五〇年にわたった虐政から解放した、大陸の中国人に感謝すべきである」と、述べていた。

台北にアメリカ領事館が置かれていたが、台湾人から「台湾をアメリカの統治下に置くか、日本の施政下に戻してほしい」という嘆願書が、届けられた。

二・二八事件の六週間後に、南京にあったジョン・レイトン・スチュアート米駐華大使が、蔣介石総統に対して長文の書簡を送り、アメリカ外交官の目撃録を引用して、台湾の状況についてアメリカ政府の深い懸念を表明した。蔣は大使に対して、そのような事実はまったく知らないと、回答した。

八月に入って、在華米軍司令官のアルバート・ウェデマイアー中将が、ワシントンに報告書を送った。「陳儀とその部下は、征服者として、台湾のおとなしく幸せだった島民に対して、無慈悲で、貪欲で、腐敗しきった占領政治を、容赦なく行なった」と指摘し、「台湾人はアメリカによる統治か、国連による信託統治を切望している」と、述べた。

蔣介石総統は生き延びるために、アメリカの援助に依存していたので、ワシントンを満足させるために、しかたなく陳儀を更迭した。後任に、魏道明《ぎどうめい》を台湾省長官として、送り込んだ。

陳儀は失政の責任を追及されるどころか、報奨として、生まれ故郷の浙江《せっこう》省省長の地位を与えられた。

魏道明もまた、一九四八（昭和二十三）年十二月に、台湾省主席を解任されたが、台湾を離れる際に、日本時代の総督官邸だった公邸内の家具や骨董品を、洗いざらい持ち去ってしまった。そのために、新任の陳誠《ちんせい》将軍が大陸から着任した時、公邸は空っぽになって

1947年、台湾で大陸奪還をぶち上げる蔣介石。国民党による台湾人大虐殺は、すでに始まっていた。右は宋美齢夫人
写真提供／毎日新聞社

いた。

そのころには、大陸から蔣政権の幹部をはじめ、要人が共産軍から逃れて、家族とともに大量の難民となって、毎日のように台湾に到着した。

顕官たちは、大陸から工場ぐるみで分解した工作機械、工業原料や、食糧、医療機器、医薬品などを、何十隻もの貨物船に乗せて運んできた。国民党軍が台湾を占領した当初に行なったのと、逆のことだった。

蔣介石も、台湾に逃げ込んだ。蔣は台北市郊外の温泉保養地の草山《そうざん》（注・日本名、現在の陽明山）に、居を構えた。

蔣介石が台湾の主人となると、島内の治安を強化するために、再び台湾人の大量虐殺が行なわれた。一九四九（昭和二十四）年だけでも、一万人以上の台湾人が逮捕されて、多くの者が殺された。

大陸から台湾には、蔣政権とともに、六〇万人の将兵を含む、二〇〇万人もの中国人が流入した。日本が連合国に降伏した時の台湾人の人口は、六三〇万人だった。

蔣介石は台湾人の歓心を買うために、陳儀に共産軍に寝返ろうとした罪を着せて、逮捕して台湾に連行していたが、一九五〇（昭和二十五）年六月にこの長年にわたる戦友を、台湾人民を虐待したかどで死刑に処することを、発表した。

処刑の日には、島民に祝うために前もって、花火が配られた。

蔣介石の窮地を救った朝鮮戦争

一九四九（昭和二十四）年までに、ワシントンにおいては軍、国務省の担当者のあいだで、台湾を蔣政権の支配から切り離して、国連信託統治下に置くことが、合意されるようになっていた。

イギリスの影響力ある『エコノミスト』誌が、「マッカーサー元帥が国連軍司令官を兼ねているから、台湾を国連軍の管理下に移すべきだ」と、主張した。『ニューヨーク・タイムズ』紙も社説で、「台湾の帰属は未定であるから、国連の信託統治に委ねるべきである」と、論じた。

アメリカの上院外交委員会の有力議員が、「アメリカが、即刻、台湾を引き取るべきだ」と、提唱した。そうなれば、台湾人の台湾が実現したことだったろう。

ところが、一九四九年に中国共産党が大陸を制覇して、十月に蔣政権が台湾に逃げ込むと、台湾を国連の信託統治下に置こうという議論が沙汰《さた》止《や》みになった。台湾も、どっちみち共産軍によって占領されると、みられたからだった。

トルーマン大統領が、一九四九年八月に連邦議会へ送った国務省の『中国白書』が、アメリカの対中政策の転換点となった。『中国白書』に添付されている中国の地図は、台湾を「タイワン、フォーモサ」と、併記している。

一九五〇年一月に、トルーマン大統領は蔣政権を見限って、中国内戦へ介入しない方針を、明らかにした。

トルーマン大統領は、「アメリカは台湾を含めて、中国の領土を獲得する野心はない。

台湾に軍事基地を設けることも、現状に軍事介入する意志もない。蔣政権に対するいっさいの軍事援助を打ち切って、軍事顧問団も引き揚げる」と、声明した。

ところが、蔣介石は運が強かった。アメリカが蔣政権を見離してから、まだ、半年しかたってなかった一九五〇年六月二十五日、北朝鮮の金日成《キムイルソン》主席が、スターリンと毛沢東に嗾《けしか》けられて、韓国を奇襲することによって、朝鮮戦争が始まった。アメリカはその前に、韓国から在韓米軍を完全に撤収していた。

トルーマン大統領は、ただちに東京にあったマッカーサー元帥に、在日米軍を投入して、南朝鮮を防衛することを命ずるとともに、その二日後に、第七艦隊に対し、台湾海峡に入って警戒態勢をとるように、指令した。

朝鮮戦争が、崩壊の一歩手前にあった蔣介石政権を救った。ワシントンは、毛沢東の中国が朝鮮半島だけでなく、台湾を攻略するのではないかと、恐れた。

台湾は、アメリカの極東における防衛線のなかに、組み込まれた。

アメリカは、もし朝鮮戦争が起こらなければ、台湾が大陸によって呑《の》み込まれるのを、傍観したにちがいなかった。ところが、朝鮮戦争が起こったために、ワシントンによって、毛沢東が侵略者として、認識されるようになった。

トルーマン大統領は声明を発して、「もし、台湾《フォーモサ》が共産軍に占領されることがあれば、太平洋地域の安全が脅かされ、アメリカが同地域で、適法かつ必要な行動をとることが、妨げられることになる」と、述べた。台湾はまだフォーモサと呼ばれていた。この時、はじめて台湾を「不沈空母《アンシンカブル・キャリアー》」と、呼んだ。

トルーマンはさらに、「台湾の将来の地位は、太平洋地域に平和が確立され、対日平和条約が結ばれるか、国際連合によって、決定されよう」と、つけ加えた。

ワシントンが、第七艦隊を台湾海峡に出動させたのは、万一、蔣介石軍が海峡を渡って大陸を攻撃することによって、戦火が拡大するのを防ぐ目的もあった。

いずれにせよ、朝鮮戦争が蔣介石政権を窮地から、救った。

それとともに、アメリカから蔣政権に対する武器援助が、再開された。恐怖政治のもとにあった台湾は、一転して「民主主義の砦《とりで》」と呼ばれた。

一九五四（昭和二十九）年に、米華共同防衛条約が結ばれた。蔣政権はアメリカの同意をとりつけないかぎり、大陸へ侵攻しないことを、約束させられた。

そうすることによって、アメリカの「二つの中国」、あるいは「一つの中国、一つの台湾」政策が確立された。

中華思想では、日本も台湾も夷狄《いてき》

今日の中国は中華人民共和国を、僭称《せんしょう》――勝手に自称している。だが、為政者が特権を独り占めしているから、人民の国でも、共和国でもない。ちなみに「人民」も「共和国」も、近代に入って日本から輸入した日本語である。自分たちが誰よりも優れており、世界を支配することができるという「中華」の語だけが、国名のなかで本音を表わしている。中国史を通じて、しばしば交替しては登場した、多くの王朝の一つにしかすぎない。

日本国民は、中国人の尊大な中華思想について、無知である。中国はつねに中華思想という歪んだレンズを通して、世界を観てきた。中華思想は大陸で生まれたために、水辺や、海の民族を見下してきた。そのために、島の民を未開な島夷《とうい》として、蔑視してきた。

中国にとっては、台湾も、日本も、島の民だから、島夷である。『春秋三伝《しゆんじゆうさんでん》』の『穀梁伝《こくりょう》』『公羊伝《くよう》』のなかでは、夷狄《いてき》を中国に従わない国と、定義している。したがって、日本も夷狄となってきた。

朝鮮も、中国を宗主国として慕い崇《あが》めてきたから、永いあいだ、中国人の目を通して、日本を見てきた。

私が韓国を「朝鮮」と呼ぶのは、蔑視しているわけではない。日本が日清戦争に勝って、それまでは中国の属国でしかなかった朝鮮王国を大韓帝国として独立させるまで、五〇〇年にわたって中華秩序のなかに組み込まれていて、その間、自ら国号を朝鮮と称していた。

華夷秩序のもとで、中国の天子だけが、世界のなかで唯一皇帝を名乗ることができた。中華秩序のもとで、李氏朝鮮など属国の王は、西洋のトランプのキングと違って、中国皇帝によって冊封《さくほう》――任命される、世襲制の地方長官でしかなかった。

朝鮮国王は日本が日清戦争に勝ったことで、中国から解放されて独立を獲得したので、はじめて大韓帝国皇帝を名乗り、国名も韓国と称することができた。

したがって、朝鮮は歴史的な呼称である。韓国とは、一九四八（昭和二十三）年にアメリカによる占領から、独立することを許された後の朝鮮半島の南半分しか、指していない。李氏朝鮮や、日本時代の朝鮮半島を、韓国と呼べない。

朝鮮人は事大主義《サデチュイ》といって、生きるために強い者に阿《おもね》る民族性がある。「事」には、つかえる、奉仕するという意味がある。その民族性から、ひたすら中国の完全なコピーになろうと、努めた。そのために、中国と同じように、島の民を蔑《さげす》んできた。

韓国人は国内では済州島《チェジュド》を、国外では日本を、強い蔑視の対象としてきた。いまでも韓国では済州島民が、いわれなき差別を蒙《こうむ》っている。

日本の龍は、なぜ爪が三本なのか

華夷秩序のもとでは、中国の龍の爪が五本あったのに対して、属国として次の序列にあった朝鮮やベトナムの龍は、爪が一本足りない四本でしかなかった。

日本は華夷秩序のもとで、夷狄として蔑《さげす》まれていたから、龍の爪は三本しか許されなかった。そのために、室町時代のころから、日本から注文があって、日本へ輸出する龍の彫刻や絵には、すべて爪が三本しかなかった。

日本は中国の周辺諸国のなかで、ただ一国だけ、中国の属国となることなく、臣従して朝貢することがなかった。

私は二〇一二年十一月に、市川団十郎《いちかわだんじゆうろう》氏を囲む会が、京都の嵯峨野《さがの》の天龍寺《てんりゆうじ》で催されたのに招かれて、歌舞伎について短い挨拶《あいさつ》をした。天龍寺は世界文化遺産として、指定されている。

この会のために、夢窓《むそう》国師が七〇〇年あまり前に造った美しい庭が、幻想的にライトアップされた。夜の帷《とばり》のなかで、夢みるような心地《ここち》だった。

庭に面した渡り廊下に、雲龍の大きな襖《ふすま》絵がある。思ったとおり、やはり爪が三本しかなかった。

四〇〇人あまりの善男善女が招かれていて、会席料理が振る舞われた。

私ははじめに、襖絵の龍の爪が三本しかないことに、触れた。

そして、もし、襖絵の龍の爪が四本あったとしたら、日本の歌舞伎をはじめとする、独特な、優れた伝統文化が形成されることがなかったろうと、話した。

市川団十郎氏も「やはり、そうだったのですか」と、驚いていた。

多くの会席者から、「はじめて聞きました」と、いわれた。

この龍の爪の数の話は、なぜか、日本ではよく知られていない。

中国の龍の五本の長い爪が、尖閣諸島を手はじめとして、沖縄や、台湾を搦《から》め盗《と》ろうとしている。

日本と中国は隣国だというのに、世界のなかで、これほどまで文化が大きく異なっている例は、他にない。

東日本大震災追悼式における台湾代表の処遇

二〇一三年三月十一日に、天皇皇后両陛下の御臨席のもとに、政府主催の東日本大震災二周年追悼式が催された。

程永華《ていえいか》駐日中国大使が、式典に招かれたのにもかかわらず、日本政府が台湾の代表を「指名献花」に加えたことに憤《いきどお》って、韓国の申珏秀《しんがくす》駐日大使を誘って、ボイコットした。申大使は中国公使のようなものだった。

台湾国民は東日本大震災に当たって、どの国をも大きく上回る二〇〇億円以上の義捐金を募って、被災地へ贈ってくれた。献金したのは、政府ではなく、国民によるもので、まさに、義挙だった。日本にこれほどまで強い好意をいだいている国は、他にない。

指名献花では、在京の諸国大使についで、国際機関の代表が続いた。日台間には外交関係がないことから、台北経済文化代表処の代表が、事実上の〝駐日大使〟として献花した。

北京は、台湾という中国と別個の国が現実として存在しているにもかかわらず、台湾が国際機関としての扱いを受けることすら、容認できないでいる。

中国外交部（外務省）は、「追悼式典で台湾の関係者を、外交使節や、国際機関と同等に扱った」「日本の対応に強烈な不満と、抗議を表明する」「日本が過ちを正すように、要求する」と、述べた。

ところが、前年の二〇一二年の東日本大震災追悼式に当たっては、当時の野田《のだ》内閣は台湾の駐日代表を指名献花から除外して、一般の参加者として献花させた。あまりにも心ない、恥ずかしい仕打ちだった。台湾とのあいだに外交関係のあるなしに、かかわることではなかったろう。

だが、台湾代表を指名献花から除外した翌月の四月十九日、天皇皇后両陛下が赤坂御苑において主催された春の園遊会に、台湾の台北経済文化代表処の馮寄台《ひょうきだい》代表が招かれた。天皇が馮代表に「台湾は東日本大震災に当たって、日本に多大な援助をして下さり、感謝しています」と述べられ、皇后が馮夫人に英語で親しく話しかけられた。このことは、台湾で大きく報じられた。

習近平の「強軍の夢」と、大量の豚の死体

習近平国家主席は、二〇一二年十一月の党大会で党総書記と、党中央軍事委員会主席に

就任した時に、「軍事闘争の準備を最重視する方針を堅持する」と、述べた。その後も、「中華民族の偉大な復興の夢とは、強軍の夢」だと述べ、戦争の準備に努めるように、演説している。

二〇一三年に入り、三月に北京で全人代（全国人民代表会議）が開催されて、習近平体制が発足した。

全人代閉幕日の、国家主席就任演説でも、「中華民族の偉大な復興という、中国の夢《チュングオモン》を実現しよう」「愛国主義による中華民族の復興は、中国の夢」と、訴えた。

習国家主席は演説のなかで、「中国の夢」という言葉を、九回も繰り返した。

習主席についで、許其亮《きよきりよう》中央軍事委員会副主席が、「強国夢《チャングオモン》と強軍夢《チャンチュンモン》の実現に奮闘しよう」と、呼び掛けた。

人類が二十一世紀に入った今日、「強国の夢」「強軍の夢」とは、まったく時代にそぐわない。「中国の夢《チュングオモン》」は、世界にとって「悪夢《ウモン》」だ。

習主席が「愛国主義による中華民族の復興は、中国の夢」といった翌月に、中国外交部の華春瑩《かしゆんえい》報道官が「日本がナショナリズムを復活させているのは、危険だ」と述べた。

中国は中国の人民に「愛国主義による中華民族の復活」を呼び掛けながら、チベット人、ウィグル人、モンゴル人のナショナリズムを、許さない。そう日本を非難することによって、日本を少数民族として、扱っている。もちろん、中国にとって台湾人のナショナリズムも、許すことができない。

その後も、習国家主席は「中華民族の偉大な復興の夢とは、強軍の夢だ」「強軍の目標を心に刻み、その実践に身を捧げよ」と、繰り返し発言している。

ところが、全人代が閉じた日に、中国の人民の関心は、人民大会堂にまったくなかった。

上海の黄浦江《こうほこう》の岸辺に、一万六〇〇〇頭にのぼる豚の腐乱して膨《ふく》れた死体が、上流から漂着した。習主席の「中国の夢《チュングオモン》」ではなく、中国の悪夢のような画像が、全国のネットに流れた。

全人代が開催されていたから、現体制の腐敗を連想させた。中国の自然と同じように、体制が腐敗によって、危険なまでに汚染されている。ネットに「共産党高官の腐敗は、上海の黄浦江に浮かんだ豚の死骸のようだ」という書き込みをはじめ、批判があいついだが、検閲によって、すぐに削除された。

習近平体制は、日本が十分に備えを整えないかぎり、尖閣諸島をかならず盗《と》りにこよう。中国政府は体制を守るために、戦争熱をさかんに煽《あお》っているが、目に見える成果をあげなければならないからだ。

日本が中国を恐れて、中国を刺激してはならないといって、怯懦《きょうだ》な態度をとってきたために、中国は日本を見くびっている。暴力団や、チンピラは脅して相手が怯《ひる》むほど、いっそう凄《すご》むものだ。

中国は力しか、信じない。怯めば、いっそう図に乗る。韓国人も、まったく同じだ。

重大な危機に瀕《ひん》する中国共産党

いま、中国共産党は一九八九（平成元）年の天安門事件以来の大きな危機に、直面している。

あの時、中国は革命の崖《がけ》っ縁《ぷち》まで、追いつめられた。鄧小平《とうしょうへい》が北京の中心街において、大虐殺を行なう決断を下したことによって、独裁体制をかろうじて守ることができた。

その後の政権も、天安門事件の過《あやま》ちを、少しも認めようとしていない。毛沢東による大躍進運動と文化大革命の過ちを認めているが、そうしなかったら、鄧小平の改革政策が人民の支持をえることができなかった。しかし、もし、その次の最高指導部による過ちも認めたら、政権が権威を失ってしまうことになる。

習新体制は「海洋強国《ハイヤンチャングオ》」を実現することと並んで、役人の綱紀《こうき》粛正《しゅくせい》を中心に据える改革を、前面に押し出している。

だが、二〇一〇年の全人代の三〇〇〇人の代議員のうち、九〇人が一八億人民元（約二八〇億円）以上の資産を所有する、一〇〇〇人のトップの億万長者に属していた。九〇人は代議員全体の三パーセントにしか当たらないものの、代議員がみな人民中国の富裕な特権階級に属していることが、想像できよう。中国では「権貴《チエックエ》（特権）階級」と、呼ばれる。

中国の歴史を通じて、どの王朝をとっても中華帝国は、役人が上から下まで、競って不正蓄財に耽《ふけ》った。

今日の中国は、毛沢東と共産体制を築いた古参幹部の血を享《う》けた太子《たいし》党と、太子党に忠勤を励むことによって引き上げられた共産党青年団を加えた、およそ三〇〇の一族が、中国経済を支配している。太子党と共青団は、同じ穴の貉《むじな》だが、人民の幸せを思いやることなく、人民を抑えつけて、ひたすら特権を維持することにしか関心がなく、蓄財に走っている。

二〇一二年に、アメリカの『ブルームバーグ・ニュース』が、全人代の二九八七人の代議員のなかで、上位七〇人の富裕者の私財を合計すると、四九三一億人民元（約四兆九〇〇〇億円）にのぼると、報じた。そして、五三五人のアメリカ上下院議員の上位七〇人の私財を合わせても、その十分の一の四八億ドル（約四八〇〇億円）でしかないと、論評した。

米中の一人当たり国民所得を較《くら》べると、アメリカは中国の十数倍だから、中国の代議員の私財は、途方もない巨額となる。中国には政治家の財産を公表する制度がないが、日本の国会議員の私財と較べたら、小沢一郎《おざわいちろう》氏や、鳩山由紀夫《はとやまゆきお》、邦夫《くにお》兄弟なども、貧しいものだ。

二〇一二年の『ロンドン・タイムズ』紙によれば、中国トップの一二の不動産会社が、党最高幹部の子によって支配されている。巨額の利益を生む有料道路のオーナーの八五パーセントが、高官の子弟である。同紙によれば、二〇一〇年に中国で一六〇〇万ドル（一六億円）以上の年収があった、三二二〇人の九一パーセントが、党幹部の子であったという。

中華人民共和国は、巨大な同族会社となっている。収賄、横領などの腐敗が、日常茶飯事となっている。これは、中国社会の数千年にわたる常態なのだ。

中国には、一〇〇〇万人にのぼる公務員がいる。全員が上の真似をしているのは、不思議でない。

ところで、二〇一〇年の全人代も映像を見ていると、三〇〇〇人の代議員のなかで、白髪の代議員がいつものように誰一人としていなかった。

全員がそろって髪を、黒く染めているのだ。私は全人代が催される度に、目を凝《こ》らして見るが、まさに奇観である。

老子《ろうし》の教えに、白髪の老人を働かせてはならないという、戒めがあるためだ。老子は紀元前の周《しゅう》の人で、道家思想の祖である。孔子と並んで、中国人に今日まで大きな影響を及ぼしてきた。悠久の中華文明は太古の昔から、変わっていない。

公務員の途方もない腐敗が進む中国

中国語には、日本語のどこを探してもない「官禍《クワンホ》」「清官《チンクワン》」という言葉が存在している。「清官」という言葉があるのは、清廉な役人が今も昔も、きわめて稀《まれ》だからだ。

韓国語では今日でも、「清吏《チヨンリ》」「官災《クアンジエ》」という言葉がある。ここでも、小さな中国なのだ。

習新体制は、役人の途方もない腐敗から、環境の深刻な悪化、貧富の格差のいっそうの拡大など、政権の将来について切迫した危機感に駆られている。

習体制は胡錦濤《こきんとう》前体制が、「中国の平和的擡頭」をスローガンとして掲げてきたのを一変させて、国民の戦争熱を煽《あお》り立てている。人民の乱れる足並みを揃えさせて、国内を引き締めようとしている。

中国は胡錦濤時代から、貧富の格差が、もう危険なまでに大きくなっていた。経済格差による亀裂が、共産党による一党独裁体制を、呑み込もうとしている。そのために富裕層も極貧層も、みな仲よく調和しようという「和諧《わかい》社会」を、もう一つのスローガンとしていた。

マルクスも、レーニンも、毛沢東も、階級闘争を共産主義のもっとも大切な教義としていた。もし、三人に霊があって、共産政権の末裔が特権を維持するために、「和諧社会」を掲げて、マルクス主義の基本教義である階級闘争を、封じ込めようとしているのを知ったら、きっと化けて出てこよう。もっとも、マルクス主義者であれば、無神論者だから霊の存在など考えることもなく、枕を高くして、熟睡することができよう。

中国が崩れつつある。毛沢東が初代の天子となって築いた中華人民共和国は、歴代の中華王朝のなかで、寿命が短かった王朝の一つとなる可能性が高い。

そのかたわら、北朝鮮の金正恩体制は、たびたびの核実験を強行した後に、「戦争準備が整った」「ワシントンを火の海《プルパダ》にする」「東京も、例外でない」と、戦争熱を毎日のようにこれでもか、これでもかと煽り立てた。

北朝鮮は経済が破綻して、深刻な食糧不足に喘《あえ》いでいる。そのために、人民を結束させようとして、戦争熱をさかんに煽っている。

中国も一党独裁体制が病んで、高熱に浮かされるような様相になっている。

中国の北朝鮮化が、進んでいるのだ。習近平体制はそのために、富国強兵ならぬ、腐国強兵を強行している。

習近平主席の中国は、世界第二位の経済大国にのしあがったために、傲《おご》りたかぶり、驕慢《きょうまん》になった。かつての中華大帝国を、再現しようとしている。

だが、習近平の世界が、破綻しようとしている。手負いの虎や、傷ついた狼は、恐ろしい。いったい、日本はいつまで羊の憲法を後生大事にして、羊の真似をしつづけようとするのだろうか。「美」という漢字は「羊」と「大」が組み合わさっている。今日の日本のように、肥った羊が、美味しいのだ。

人民解放軍は二六〇万人の兵力を誇っているが、党と同じように、上から下まで腐敗しきっており、戦闘能力が低い。だから、習近平主席が、軍人が高級料理店で接待しあったり、外国製の高級ブランド商品を買い漁るのを禁じて、綱紀の粛正を必死になってはかっている。

日本が正気を取り戻しさえすれば、人民解放軍を恐れることはない。

それにしても、韓国は「中華民族の偉大な復興」にともなって、中国の存在が大きくなったと感じて、日韓併合以前の李氏朝鮮時代に戻りつつある。韓国は中国の属国に先祖返りして、日本をいっそう侮るようになっている。

李氏朝鮮は「慕華思想《ムファササン》」を標榜して、中国の完全なコピーである「小中華《ソチユンフア》」であることを、誇っていた。韓国は中国が力を増してゆくなかで、中国の属国に戻りつつある。

そのために、韓国大使は中国に追従して、東日本大震災追悼式を欠席したのだった。

中国の、台湾、沖縄略取計画

習近平体制はまず尖閣諸島を盗み、そのうえで、台湾を手にしようとしている。

尖閣諸島を日本から奪えば、台湾が次の順番だ。

もし、尖閣諸島が奪われることがあれば、日本と台湾が分断されてしまうことになる。中国は尖閣諸島さえ奪えば、日本と台湾両国民の意志を挫《くじ》くことができることを、知っている。

中国は沖縄も、略取しようとしている。もう二〇年近くになるが、日本のブログでも、北京に事務所を構えている「琉球共和国設立委員会」による「琉球共和国憲法」と、青と黒地のうえに黄赤白の三つの星が並んでいる「琉球共和国国旗」を、見ることができた。

二〇一三年五月に、中国共産党機関紙『人民日報』が、琉球は中国の「固有の領土」という記事を載せた。明治政府が沖縄県を設置したのを、「独立国家だった琉球王国を武力によって併呑した」と批判し、沖縄の地位が「歴史的な懸念であり、未解決の問題」と、主張した。

このような主張は、けっして唐突に行なわれたものではなかった。そのために、官製の怪しげな「琉球共和国設立委員会」を、つくっていたのだ。

中国が、沖縄と琉球王国の一部だった奄美大島《あまみおおしま》の領有権を主張しているのは、琉球王国が明朝と清朝の時期に、中国に朝貢していたことを、根拠としている。琉球王国は島津《しまづ》藩の支配下にあったが、中国貿易が巨利をもたらしたので、中国に朝貢させていた。

もし、朝貢して、中国皇帝から国王が冊封されていたすべての国々が、中国の固有の領土であるとすれば、朝鮮半島も、ベトナムも、中国の領土だということになる。

3章

米中、日中に翻弄《ほんろう》される台湾

――世界で最も虐げられている国の悲劇

なぜ日本は台湾問題で、中国の言いなりになったのか

戦後の日本を、一つの私企業に譬《たと》えてみれば、あやしげな平和主義を社是にして、経済的な快楽を、脇目も振らずに追求するビジネスモデルを、採用してきた会社だといえよう。

二〇一一（平成二十三）年から二〇一二年にかけて、このビジネスモデルが、無惨に破綻した。中国が全国にわたって、官製か、漢製の反日デモを煽《あお》り立てるかたわら、露骨に尖閣諸島を奪いにきた。

暴徒が最初に襲ったのが、パナソニックの工場だった。私は松下《まつした》政経塾の役員を長くつとめたから、唖然《あぜん》とした。松下幸之助《こうのすけ》翁が鄧小平《とうしょうへい》が来日した時に頼まれて、日本の誰よりも先に、中国に投資して、工場をつくったという歴史があったからだ。

戦後の日本のビジネスモデルを支えてきた日中関係に、大きな亀裂が走った。

一九七二（昭和四十七）年九月に日中国交正常化が行なわれて以来、日本が描いてきた「日中友好」の幻想が、無惨なまでに破られた。縁日で風船を買ってもらって、はしゃいでいた子供が、大切な風船が突風によって飛ばされたか、苛《いじ》めっ子によって破裂させられ

たようなものだった。

日中友好も、平和憲法も、幻想にしかすぎなかったのだ。

幕末から明治にかけて、日本は大人《おとな》の国であったのに、アメリカによって守られた〝平和〟憲法体制のもとで幼児化して、子供の国になってしまった。

私は一九六〇年代から、中国が日本と相容《あいい》れない専制国家であり、三〇〇〇年にわたるおぞましい政治文化によってつくられており、警戒しなければならないと、説いてきた。

田中内閣によって日中国交正常化が強行された時には、雑誌『諸君!』などの誌面をかりて反対し、朝日新聞をはじめとするマスコミが安酒に酔ったように、日中国交正常化を煽ったことを、批判した。

その翌年に、宮崎正弘《みやざきまさひろ》氏が編集者として働いていた浪漫社《ろうまんしゃ》から発表した著書のなかで、「田中首相が訪中した時の大新聞の『秋晴れ　北京友好の旗高く』とか、『拍手の中しっかりといま握手　とけ合う心　熱烈歓迎』といった見出しをみていると、日本、ナチス・ドイツ、イタリアのあいだに三国同盟が結ばれた後に、松岡ミッションがベルリンの目抜き通りをパレードした時の新聞の熱狂的な見出しのように思えて、しかたがない」(『新聞批判入門』)と、揶揄《やゆ》した。

あの時も、新聞はヒトラーのドイツに憧れて、世論を煽《あお》り立てた。毛沢東が新しいヒトラーとして、祭り上げられた。

親独派にかわって、親中派が日本の進路を危ういものとした。

私は日中国交を結ぶのに当たって、日台関係について、中国の言いなりになったことを批判した。当時、中国は中ソ戦争がいまにも起こることに脅えていたから、中国のほうが日本を強く必要としていたはずだった。

中国には、日本と国交を樹立するのに焦《あせ》る必要があったが、日本には急ぐ必要がまったくなかった。日本は国交がなくとも、すでに中国最大の貿易相手だった。


「私は大平外相を囲む席に出た。新聞は日中国交正常化を急ぐことを、筆を揃えて要求していた。私は『いったい、それほど急ぐ必要があるのでしょうか？』と、たずねた。するとと外相は、『日中問題は国内問題だ』といいきった。外相は正しかったのだ」

「日本にとって三つの中国があった。中華人民共和国と、中華民国と、日本の国内問題としての中国である。この三番目の中国は、新聞がつくりあげたものだった。田中内閣が相手に選んだのは、三番目の中国であった」（前掲の拙著より）

日本は一人相撲をとっていたのだ。一人相撲は、独りで自分勝手に思い込んで、夢中になって振る舞うことである。

日中国交回復に正気を失った日本の新聞

私は田中首相が北京空港に降り立った時の朝日新聞の、高熱にうかされた病人の譫言《うわごと》のような記事に、文字通り啞然《あぜん》とした。

この朝日新聞の特派員は、朝から酒でも呷《あお》っていたのだろうかと、疑った。

「〔北京二十五日＝西村特派員〕その時の重く、鋭い静寂を、何と表現したらいいだろう。広大な北京空港に、いっさいの音を失ったような静けさがおちてきた。一九七二年九月二十五日午前十一時四十分、赤いじゅうたんを敷いた飛行機のタラップを、黒い服の田中首相がわずかにからだを左右に振りながら降りてきた。まぶしそうに空を見上げ、きっと口を横に一文字に結んで、周首相の前にすすんだ」

「……これは夢なのか。いや夢ではない。今、間違いなく日中両国首相の手が、かたく握られたのである」

「実際には、その時間は一分にも満たなかったはずであった。記者団の群れにまじった欧米記者たちの不遠慮な声もしていたかもしれない。しかし、その時間は、もっと長く感じられた。なんの物音もしなかったと思う。四十年も続きに続いた痛恨の時間の流れは、このときついにとまった。その長い歳月の間に流れた日中両国民の血が涙が、あふれる陽光のなかをかげろうのようにのぼっていく——ふとめまいにさそわれそうな瞬間のなかでそんな気がした……」

この記事に対し、当時、私は次のように記した。

「新聞記者は、どのような状況にあっても、目まいを起こしてはならない。しっかりしてほしい。それに、日本であれ、外国であれ、記者たちはいつも『不遠慮な声』をだしているものではないだろうか」（前掲の拙著より）

まさに、記者は夢中であった。それから四〇年もたたないうちに、中国が日本へ向かって醜い牙を剝《む》くこととなろうとは、夢にも思わなかっただろう。

この時の朝日新聞の「日中新時代を開く田中首相の訪中」と題した社説もまた、噴飯物《ふんぱんもの》だった。

「日中正常化は、わが国にとって、新しい外交・防衛政策の起点とならねばならない。日米安保条約によって勢力均衡の上に不安定な安全保障を求める立場から、日中間に不可侵条約を結び、さらにその環《わ》をソ連にもひろげる。あるいはアジア・極東地域に恒久的な中立地帯を設定する。そうした外交選択が可能となったのである」

日本は愚かにも、台湾との関係を進んで絶って、台湾を放棄した。私は台湾が中国によって呑み込まれることがあれば、日本が亡びるから、日台は一体だと説いた。その上で、米中国交樹立を待って、日中国交を結ぶべきだったと、論じた。

せっかく、ニクソン夫妻が田中首相よりもまえに、人民大会堂で食事をしたというのに、毒味役になれなかった。中国は何ら代価を払わずに、日本との国交の正常化を手に入れたが、日本が支払った代償は大きかった。

断交しても「台湾関係法」を制定したアメリカ

アメリカは日本より七年も遅れて、カーター政権になってから、米中国交を樹立した。中華民国と断交したものの、同時にアメリカ連邦議会が台湾関係法（ＴＲＡ）を制定して、政権に台湾を防衛することを義務づけた。今日でも米台関係は、台湾関係法に基づく公的なものとなっている。

私は日本の国会が、アメリカ議会に見倣《みなら》って、日本版の台湾関係法を立法するべきだと、主張した。しかし、日本の政界も、財界も、言論界も、まるで幕末の狂乱のおかげ参りを再現したように、中国へ靡《なび》いて、すっかり正気を失っていた。

ニクソン訪中後に、ワシントンに〝二つの中国〟の国旗が、翻《ひるがえ》るようになった。一つは、中華民国大使館の青天白日旗と、もう一つは、中華人民共和国の連絡事務所の五星紅旗だった。

ところが、日本には、このような〝二つの中国〟は許されなかった。

日本は日台間の交流のために、建て前として民間団体である連絡事務所をつくったが、「日華交流協会」、あるいは「日台交流協会」と呼ぶべきだったのに、北京の鼻息を窺《うかが》うあまり、「日」も、「華」も、「台」もつける勇気がなかった。ただ「交流協会」と命名した。

株式会社をつくるのに、ただ「株式会社」と名づけるような、滑稽なことが行なわれたのだった。

今日でも、「交流協会」と称している。アメリカの台湾にある代表部は、日本と同じように、民間機関という建て前をとっているが、「アメリカン・インスティテュート・イン・タイワン（ＡＩＴ）」であって、アメリカと台湾の両方の名称が入っている。

台湾政府の日本に置かれた連絡事務所も、日本政府によって、台湾の名を冠することができず、今日でも「台北経済文化代表処」と呼ばれている。まるで、都市の代表事務所のようだ。他にも、台中市や、台南市、高雄市の代表処が、あるようではないか。

中国はこれまで台湾を、一度として「中華民国」と呼んだことがない。いつも「台湾」と呼んでいる。それならば、なぜ日本も「台湾」と冠してはならないのか。

なぜ日本は、そこまで中国に卑屈になるのか

日本では戦後、日本だけに独特な、世界のどこにもまったく通用しない「平和外交」、

「国連中心主義」から「等距離外交」まで、中身がまったくない、さまざまな無意味な言葉が生まれた。「交流協会」も、顔を赤らめるほかない、恥ずかしい、判じ物の一つである。

東京にある台北経済文化代表処には、現役の台湾軍将校が、私服を着て勤務している。それに対して、台北にある日本の「交流協会」には、中国を恐れて、現役の自衛官ではなく、自衛官のOBが派遣されている。現役の自衛官が、駐在するべきだ。

台北にあるアメリカの代表部であるAITにも、アメリカの軍人が駐在武官として、勤務している。アメリカの陸海空三軍の士官学校はそれぞれ、台湾から多くの生徒を受け入れている。

日本の神奈川県久里浜《くりはま》にある防衛大学校には、二〇一三（平成二十五）年現在、韓国、カンボジア、タイ、東ティモール、フィリピン、ベトナム、モンゴル、ラオスの八カ国から、一二〇人以上の外国人の生徒が来て学んでいる。それなのに、台湾が除外されている。

日本と中華民国が断交するまでは、陸上自衛隊幹部候補生学校に、台湾の学生が四、五名、学んでいた。ところが、中国を恐れるあまり、姑息《こそく》なことに、陸自幹校に台湾学生が在籍していたことを、記録から抹消している。いったいどこに、そこまで卑屈になる必要が、あるのだろうか。

文部科学省が、毎年、「高等学校における国際交流の現状について」という報告書を、発表しているが、二〇一一（平成二十三）年度には、日本からアメリカを最上位として二九カ国以上の諸国に、一五万一四一九人の高校生が、修学旅行に訪れた。ところが、訪問国リストのなかに、台湾の名がない。実際には、台湾には日本全国の高校から、相当数の生徒が訪れている。

文科省によれば、台湾は中国のなかに含めているから、別に項目立てする必要がない、という。日本政府は、台湾が中華人民共和国の一部であることを、一度たりとも認めたことがないのに、なぜ、そこまで中国に媚《こ》びなければならないのだろうか。

日本政府や、マスコミは、ことあるごとに「中国を刺激してはならない」と、いってきた。

まるで、町内に暴力団の事務所があって、住民がおどおどしているようなものだ。アメリカや、イギリス、ドイツ、インドなどの諸国を、刺激してはならない、とはいわない。中国に対して、逆に失礼ではないか。

功名心に焦《あせ》ったニクソンとキッシンジャー

今日、ニクソン政権以後の対中折衝をめぐる機密文書が、解禁されている。ニクソン大統領はその三年前の一九六九（昭和四十三）年に就任したが、民主党の有力議員が中国の門戸を開くべきだという声を、さかんにあげていたことから、再選へ向けて、米中関係を打開する意欲を燃やしていた。

ニクソンはベトナム戦争の終結を、公約として掲げて当選したが、中国は北ベトナムを支援しているものの、ソ連の脅威に抗するために、アメリカと結ぶことを望むであろうから、ベトナム和平を実現することができるというキッシンジャーの献策を、信じていた。

一九七一（昭和四十六）年七月に、キッシンジャー（国家安全会議〈NSC〉担当特別補佐官）が、パキスタンから極秘裡に北京に入って、毛沢東主席、周恩来首相とニクソン訪中について会談した。共産中国が建国されて以来、それまでアメリカ政府の要人が、中国の地を踏んだことがなかった。

ニクソンもキッシンジャーも、中国の扉を開く功名心に、焦っていた。

キッシンジャーは中国訪問に、後に駐中大使をつとめたウインストン・ロードを含めて、三人のスタッフを伴っていた。ロードはキッシンジャーを乗せたパキスタンの特別機が中国領空に入った時の昂奮《こうふん》を、「私は中国に入る最初のアメリカ政府要員になりたかったので、立ち上がって、操縦席へ向けて走った」と、得意になって回想している。

キッシンジャーと周は、ニクソン訪中の前提条件として、アメリカは「一つの中国」を認め、台湾が「その一部」であるとすること、ニクソン政権二期目に米中国交正常化を行なうこと、在台米軍の完全撤収、「日本がアジアに影響力を強めるのをアメリカが抑える」ことについて、合意した。

この時に、キッシンジャーはアメリカが「台湾の独立を容認しない」ことを、約束している。

私はニクソンの後を継いだフォード大統領と、親しかった。キッシンジャーはフォード政権の国務長官もつとめたから、何回かフォード大統領とともにキッシンジャーとも会ったし、会食したこともある。高慢だったから、大統領が席を外すと、大統領を小馬鹿にするような発言をしたが、大統領が戻ってくると、たちまち諂《へつら》った。

私はキッシンジャーに、なぜ、アメリカ人は日本人よりも中国人を好むのだろうか、とたずねた。すると、「中国人は意見を、はっきりという。そして、論理的だ。あなたがたは黙ってばかりいて、いったい何を考えているのか、われわれにはよく分からない」と、いった。

ニクソン大統領の訪中は、キッシンジャーと毛、周との合意にそって行なわれた。

解禁されたアメリカ政府文書によれば、ニクソンはキッシンジャー訪中の直前に、ホワイトハウスにおいて、「中国は経済発展が遅れているから、ソ連の奴らよりも共産主義《デディケイテッド・コミュニズム》にはまっている」、「だから、もっと危険だ」と、述べている。だが、国内政治上の問題から、中国と結んで、ソ連に対抗しようという計算が、先行したのだった。

人民大会堂で、ニクソン大統領の歓迎晩餐会が催された席に、随行記者として著名なウイリアム・バックリーがいた。バックリーは保守派だったが、「全員が平和と友好のために乾杯した時に、周が目を細めて微笑んだのを見て、ヤルタでスターリンが杯《さかずき》をあげた時も、同じ表情を浮かべたにちがいなかったと、思った」と、書いている。

田中首相も国内事情から浮き足立って、北京を詣でて、日中国交樹立を急いだ。私は当時から、台湾の存立が日本のために必要であり、台湾人の人権問題としても台湾独立を願っていたから、田中首相が台湾を切り捨てたことを、糾弾した。

「ジャパン・フォーミュラ」をつくった田中角栄の大罪

その後、米中が協調して、ソ連に対抗する関係が強まったものの、中国の焦燥をよそに、米中国交正常化は、共和党内や議会の台湾支持派への配慮と、ウォーターゲート事件の発生によって遅れた。ニクソン大統領が辞任を強《し》いられて、フォード大統領に交替してからも、実現しなかった。

結局、カーター政権が一九七九年に、米中国交樹立を行なった。アメリカが米台間に領事関係を維持することを強く求めたものの、中国側が「ジャパン・フォーミュラ」（日本方法）と呼ぶ、日中国交正常化の前例を振りかざして、「日本方法に従うべきだ」と固執したので、阻まれた。日本の罪は、重かった。

私たちは胸に手を当てて、田中内閣が「ジャパン・フォーミュラ」をつくった原罪に思いをいたし、台湾島民に対して償《つぐな》いをしなければならない。

カーター大統領は就任直後に大統領メモによって、ブレジンスキNSC大統領特別補佐官に、「われわれはニクソンや、キッシンジャーのように、中国の尻を舐めてはならない《ノット・キス・アス》」と指示していたが、一連のキッシンジャー・周の合意が、足枷《あしかせ》となった。

ところが、ブレジンスキ特別補佐官も、キッシンジャーと同じように、中国側によっておだてられて、すっかり取り込まれてしまった。当時のカーター大統領の日記が公開されているが、「彼（ブレジンスキ）は中国によって、圧倒《オーバーヘルム》された。私は『お前はすっかり誘惑《セデュース》された』と、彼にいった」（一九七八年五月二十六日）と、記している。

ブレジンスキは、その後、中国大使がホワイトハウスにはじめて背広を着て現われると、「服装の完全な変わりかた《ア・トータル・サトリカル・トランスフォーメーション》、中国のイデオロギーの転換を意味している」と、無邪気に手放しで、賞賛している。

キッシンジャーもブレジンスキも、中国史についても、中国人の精神構造についても、深く学んだことがなかった。中華文明を理解せずに、中国を知ることはできない。

一方、カーター大統領が台湾の国民党政権を軽蔑しきっていたことが、台湾にとって不運だった。

私はカーター一族とも親しかったが、一九七六（昭和五十一）年の大統領選挙へ向けた民主党予備選挙で、無名だったカーター・ジョージア州知事が、本命視されるようになると、国民党関係筋から、一族に高価な贈物や、台湾への旅行招待がつぎつぎと舞い込むようになった。そのようなことから、カーター大統領は当選後も、台湾に対して嫌悪感をいだくようになっていた。

　カーター大統領は〝人権外交〟を表看板としたのに、中国は例外だった。

いまだ確定していない台湾の法的地位

　日本は、日中国交正常化交渉を行なった際の日中共同声明によって、たしかに中華人民共和国が中国の「唯一の合法政府」であることを、認めた。しかし、日本は台湾が中華人民共和国の一部であることを、これまで認めたことはない。

　日中国交正常化に当たって、中華人民共和国政府が、台湾が同国の「領土の不可分の一部」であることを主張したのに対し、日本は、中国の立場を「十分に理解し、尊重する」ことを約束しただけであって、台湾の帰属については「ポツダム宣言第八項に基づく立場を堅持する」と、述べている。

　台湾の法的地位は、日本がポツダム宣言によって領有権を放棄したのを受けて、対日講和条約が結ばれたうえで、連合国が決定するまで、未定とされた。

　その後日本は、サンフランシスコ対日講和条約によっても、台湾に対する「すべての権利」を放棄したが、サンフランシスコ条約は台湾の帰属について、定めていない。

中華民国は台湾の法的な地位が確定するまでのあいだ、連合国間の合意によって、台湾を占領しただけのことであって、今日でも、台湾は中華民国による占領下にある。法的にいえば、中華民国は台湾を台湾省と呼んでは、ならないことになる。

台湾は法的には、中華人民共和国の領土でも、中華民国の領土でもない。

台湾を占領している中華民国が、尖閣諸島が自国の領土であると主張することができても、国際法に従えば、台湾に対する主権を、主張することができない。

台湾は、いまだに第二次大戦中に連合国の一員であった中華民国による占領を蒙っている。アジアにおいては、台湾と、日本の北方領土である歯舞《はぼまい》、色丹《しこたん》、国後《くなしり》、択捉《えとろふ》の北方四島もまた、いまでも法的には連合国の占領下にある。

二〇〇六（平成十八）年に、台湾の有志がつくっている台湾民政府が原告となって、アメリカ連邦高裁に、台湾に対して第二次大戦による占領が続いており、そのために台湾住民が無国籍であるかたわら、日本が台湾に対する潜在主権を持っているとして、アメリカ政府を告訴した。

二〇〇九（平成二十一）年に、アメリカ高裁が「台湾に国際的に承認された政府が存在しないために、台湾人が無国籍であって、政治的な煉獄のなかで生活している」と、判決を下した。アメリカ政府は判決に対して上告しなかったから、この判決を認めたことになっている。

なぜカイロ宣言は、法的効力をもたないのか

前章でも述べたように、中華民国の台湾に対する主権の主張は、一九四三年十月のカイロ宣言によるものである。ポツダム宣言はカイロ宣言を、援用している。

しかし、ルーズベルト大統領、チャーチル首相、蔣介石総統が、エジプトのカイロに集まって発したカイロ宣言は、宣言と呼ばれているものの、法的な拘束力がまったくない紙きれでしかない。ポツダム宣言もまた、カイロ宣言を援用していることによって、法的に不備な文書となっている。

ルーズベルトは、帆船《クリッパー》が太平洋を往復して活躍した時代に、母方の祖父が清との阿片《アヘン》貿易によって巨富を蓄えたことから、幼少のころから中国に憧れていた。そのこともあって、日本を嫌っていたために、中国を大国として扱った。それに対して、チャーチルは中国を醒《さ》めた眼で見ており、中国が大国としての資格を欠いていると、考えていた。

チャーチルは、カイロに蔣を招くことに難色を示したが、ルーズベルトが固執したため

に、蔣が加わることができた。ルーズベルトは蔣をうとんでいたが、宋美齢夫人に魅せられていた。

ルーズベルトは重慶に国民党軍の軍事顧問団長として派遣していた、ジョゼフ・スティルウェル大将の報告書によって、蔣が無能なうえ、蔣政権が腐敗しきっていることを知っていた。スティルウェルは、蔣を頭部の形から「ピーナッツ」と呼んで、軽蔑しきっていた。

蔣が英語はまったくできず、宋美齢夫人が夫の通訳をつとめたが、ルーズベルトは、蔣がいったい何を考えているのか、分からなかったと、側近に語っている。カイロ会談は、蔣にとって最初で最後の国際舞台となった。

宋美齢はアメリカで、国民に〝スーン・メイリーン〟として知られ、アメリカのウェスーリアン女子大学を経て、名門ウェルズリー大学を首席で卒業しており、美貌に加えて、英語を流暢《りゅうちょう》に話したので、アメリカ人を操《あやつ》るのに長《た》けていた。

宋美齢夫人がいかにアメリカのマスコミの寵児《ちょうじ》になっていたかといえば、アメリカ最大のニュース週刊誌だった『タイム』誌の表紙《カバー》を、一九三一年、一九三八年、一九四三年と、三回も続けて飾っていることを見てもわかる。アメリカは、中国贔屓《びいき》だったのだ。

1943年11月、カイロ会談に参集した三巨頭。蔣介石にとって一世一代の晴れ舞台だったが、次のヤルタ会談には呼ばれなかった

写真提供／毎日新聞社（上下とも）

1939年、後のインド首相ネールと蔣介石・宋美齢夫妻。夫人はその容姿と語学力で、米国内における親中国世論の形成に貢献した

宋夫人は日支事変が始まると、アメリカに乗り込んで、政権、議会や、マスコミに工作して、アメリカから巨額にのぼる援助を引き出すことに成功した。スーン・メイリーンの名で呼ばれた彼女は、裾《すそ》が上まで大きく割れた支那服を着て、アメリカの世論を魅了した。

ルーズベルトはカイロで、蔣を満足させないと、蔣が日本と和睦するのではないかと、恐れていた。アジア民族があげて日本に協力していたが、アジア諸民族のなかで、アメリカについて戦っていたのは、蔣政権だけだった。

もし、蔣介石が日本と講和して、中国が対日戦争から脱落することがあれば、白人対有色人種の戦争となってしまうので、それだけは何としても避けねばならず、巨額にのぼる対華援助を注《つ》ぎ込むとともに、蔣をおだてて、引き留めておかねばならなかった。

チャーチルは、戦後も香港と九龍をイギリス領として、守りたかった。台湾を中国に引き渡してしまうことにも、反対した。そのために、宣言に署名することを拒んだ。

その結果、カイロ宣言は誰も署名することなく、発表された。署名がない宣言など、ありえない。「カイロ宣言」は宣言というよりも、法的な拘束力がない、たんなる声明文か新聞発表資料でしかない。

蔣総統が一九七五（昭和五十）年に死去するまで、アメリカ政府の台湾担当者たちは、スティルウェル大将にならって、蔣総統を「ピーナッツ」と呼んでいた。しかし、アメリカは冷戦下の戦略上の都合から、蔣政権を必要とした。

ルーズベルトは、一九四五年（昭和二十）四月に急死した。ルーズベルトは戦後の世界を経営するために、国際連合を創設する構想を進めていた。ルーズベルトは、中国を国際連合における常任理事国として、拒否権を持つ大国の一つとして迎えることに固執した。チャーチルは反対したが、押し切られた。

アメリカ人の飽くなき欲望が生み出した、中国という妖怪

アメリカは、なぜ、中国に強く憧れてきたのだろうか。それには、大きな理由がある。アメリカはキリスト教の信仰によってつくられ、通商によって栄えてきた国であった。アメリカは清朝末期に、中国と交易したころから、巨大だと思われた中国市場に、幻惑されてきた。

アメリカは清教徒が築いた宗教国家であったから、中国は宣教師の夢の大陸だった。いまでも、アメリカは宗教離れが進んでいるヨーロッパと違って、宗教心がきわめて篤《あつ》い国

である。キリスト教化と、市場を獲得することは、一つのものだった。中国の巨大な市場の夢と、キリスト教の処女地であったことが、アメリカ国民に中国へロマンをいだかせた。

中国人は宣教師の手によって、続々とキリスト教に改宗した。

ところが、日本は市場として取るに足りなかった。そのうえ、宣教師たちがいくら真剣な努力を傾けてみても、改宗する者がほとんどいなかった。

そのために、日本で福音を説いた多くの宣教師の子たちが、日本を恨《むく》んで、日本に反感をいだくようになった。父親が献身的に努力したのに、日本人は報いることがなかったからだ。

それを身近で見ながら育った宣教師の子たちは、対日戦争前から、アメリカ政府や軍の中枢で働いて、両親が日本から蒙った屈辱に対して、報復することを試みた。

それとともに、アメリカ人は人一倍、快楽を追求する国民である。そのために、いつも貿易によって豊かになることを、望んできた。アメリカは身寄りがない移民の国であるから、金銭を崇《あが》めてきた。もっとも、戦後の日本もアメリカ化して、伝統文化を疎《おろそ》かにして、金銭を尊ぶ。アメリカ人と同じ体質を、備えるようになっている。

アメリカ国民が飽くなき快楽を追求することによって、一九七〇年代まで貧しかった中国から、巨大な力を持つ妖怪をつくりだした。

これは、今日、中東イスラム圏が安定を失って、世界の安定を脅かすようになっているのと、変わらない。先進国が飽くことなく快楽を追求して、大量の石油を浪費することによって、イスラム圏という妖怪をつくりだした。

物欲と石油の呪いが、中国と中東という二つの怪物を生みだした。

第一次世界大戦をきっかけに、ドイツと連合して戦ったトルコ帝国が敗れると、トルコ帝国が支配していた中東が、ヨーロッパの列強によって分割されて、統治されるようになった。すると、トルコで革新政権が登場して、帝政を倒したのをはじめとして、ペルシアと呼ばれていたイランから、第二次大戦後にエジプトや、新しく独立したイスラム諸国まで、イスラムを近代化を妨げる後進的なものとしてみなして、つぎつぎと、上から脱イスラム政策が進められた。

ところが、一九七〇年代に二回にわたった〝石油ショック〟によって、それまで安かった原油価格が一挙に高騰すると、中東に巨額の金《かね》が流入するかたわら、先進諸国が石油欲しさから、大統領や、首相や、大企業の経営者がそれまでと打って変わって、油を乞《こ》うために競って中東を詣《もう》でて、叩頭《こうとう》するようになった。

そのために、西洋に対して劣等感に苛《さいな》まれていたイスラム諸国民が、自信を回復した。そして突然のように、イスラム教が力を甦《よみがえ》らせた。もし、中東が石油を産出しなかったとすれば、駱駝《らくだ》がさ迷う広大な砂漠と、棗椰子《なつめやし》しか生えてない地域が、どのように混乱に陥ろうが、世界を揺るがすことがなかったろう。

国益を損《そこ》ねる外務省の中国病患者

一九九二（平成四）年八月に、宮沢喜一《みやざわきいち》内閣が天皇ご訪中について、一四人の有識者から首相官邸において、個別に意見を聴取したが、私はその一人として招かれた。私は、

「天皇が外国に行幸《ぎょうこう》されるのは、日本を代表してその国を祝福されるためにお出かけになられるものだが、中国のように国内で人権を蹂躙《じゅうりん》している国は、ふさわしくない」

「中国が二月にわが尖閣諸島を領土として含めた領海法を施行したのを、ご訪中によって容認することになる」

「中国は軍拡を強行しており、日本にとって大きな脅威になりつつある」

と、反対意見を述べた。

その前月に、外務省の樽井澄夫《たるいすみお》中国課長が、私の事務所にたずねてきた。

「お願いがあります。私は官費で中国に留学しました。その時から、日中友好に生涯を捧げることを、誓ってきました。官邸にお出掛けになる時には、天皇ご訪中に反対なさらないで下さい」

と、懇願した。

私が天安門事件以降の中国の人権抑圧問題についてたずねると、「天安門事件の前から、中国に人権なんてありません」と、悪びれずに言ってのけた。中国が水爆実験を強行したところだったので、水爆実験についても質問したが、「軍部が中央の言うことを聞かずに、やったことです」と、答えた。

私が「あなたが日中友好に生涯を捧げられるというのは、個人的なことで、わが国の国益とまったく関わりがないことです。私はご訪中に反対するつもりです」というと、肩を落として、悄然《しょうぜん》として帰っていった。

当時、樽井氏は台北に交流協会代表として、勤務していた。北京ではなく、台北に留学したらよかったのにと、思う。

日米の外務省にまつわる共通点といえば、日本の外務省の別名が「霞ヶ関」で、アメリカでも外務省にあたる国務省が、ポトマック河畔の霧が立ちやすいところにあるので、「フォギー・ボトム」（霧の関）と、呼ばれていることだ。

もう一つの共通点は、両国とも外交官が他の省庁から、煙たがられている。

外交官の宿命だろうが、ある外国の専門家になると、その国に魅せられてしまうことがある。そこで、その国の代弁者になるという罠《わな》に、落ちやすい。

もし、私が南洋のとある国に留学したとすると、その国が好きになる。その国の文化と言語に打ち込んで、外交官となったとしたら、きっと、首狩りによる食人のような前近代的な習俗も含めて、その国に強い親近感をもつことになろう。その国に気触《かぶ》れて、日本の国益を忘れるようになる。

日本の外務省にも、気の毒なことに、国籍不明になった犠牲者が多い。

日本人も、アメリカ人も、ともに島国の民だから、外国語が苦手だ。アメリカは、大きな島だ。そこで、外国語に打ち込んで上達すると、言葉は道具でしかないのに、その外国語の虜《とりこ》となって、道具によって振りまわされやすい。アメリカにも、そのような者が多い。

尖閣をめぐる民主党政権の怯懦《きようだ》な姿勢

尖閣諸島は疑いもなく、日本の領土である。日本政府が一八八五（明治十八）年から尖閣諸島の現地調査を行なって、清朝の支配下にない無人島であることを、慎重に確認したうえで、一〇年後になって、ようやく領土として編入した。

いまになって、中国は日本が清から略取したと主張して、「日本が盗んだ」といって騒ぎたてている。しかし、中国がはじめて尖閣諸島の領有権を主張したのは、一九七一（昭和四十六）年に国連のアジア極東経済委員会が、東シナ海の海底に、巨大なガス田、油田が、埋蔵されていると発表した直後のことだった。

その翌年に、田中首相が北京入りして、日中国交正常化が行なわれた。田中首相が尖閣諸島に触れたところ、周恩来首相が慌てて、「ここではやりたくない」といって逃げたのを、田中首相が国交正常化を焦ったために、頷《うなず》いた。

一九七八（昭和五十三）年十月に、中国の最高実力者だった鄧小平副首相が来日した六カ月前に、中国の百数十隻の漁船が尖閣諸島を包囲して、日本政府を狼狽《ろうばい》させた。鄧副首相は来日すると、尖閣諸島の領土問題を「一九七二年の合意に基づいて棚上げしよう」と提案した。

日本側はそのような了解が存在しなかったと、はっきりと否定するべきだったのに、国家にとって領土が基本となっていることを忘れて、中国に媚《こ》びて受け容れた。そのために、今日に大きな禍根《かこん》を残した。

尖閣諸島の魚釣島《うおつりじま》には一九四〇（昭和十五）年まで、一〇〇人以上の日本人が住んで、鰹節《かつおぶし》工場を営み、アホウドリの羽毛の採取を行なっていた。亡くなった住民の墓もある。

中国は一九九二（平成四）年に、尖閣諸島を自国領土として規定した「領海法」を制定することによって、自分から言い出した「棚上げ」を、反古《ほご》にしてしまった。それにもかかわらず、当時の宮沢喜一内閣は天皇がその秋にご訪中されることを、決定した。

その後、中国人活動家グループが、尖閣諸島領海に不法侵入する事件が、あいついで発生した。日本政府は、中国、香港の活動家がわが国の主権を侵す目的をもって魚釣島に上陸したのを逮捕、検束したのにもかかわらず、中国を刺激するのを恐れて、釈放した。

政府は日本国民のみならず、尖閣諸島が沖縄県石垣《いしがき》市の一部であるのにもかかわらず、現状を変更することになるといって、市職員が尖閣諸島に上陸することすら、禁じてきた。日本の領土であるのなら、日本国民が上陸することを禁じるべきではない。

当時の野田《のだ》内閣も、尖閣諸島の「平穏かつ安定的な管理」を唱えて、無為無策に終始した。このような怯懦《きょうだ》な姿勢が、「平穏」とか、「安定的な」状況をもたらすことにはならなかった。かえって、中国をいっそう慢心させた。

野田内閣が二〇一二年九月に、尖閣諸島を国有化することを決定したところ、中国全土にわたって、反日暴動が荒れ狂った。

日本の大手のマスコミによって、政府が国有化を決めたことによって、「棚上げ」されていた現状を壊したために、中国の反日暴動に火をつけたという見方が、ひろめられた。

これは、とんでもない言い掛かりだ。その半年前の三月十六日に、中国の国家海洋局所属の海洋監視船「海監50」と、もう一隻の中国の公船が尖閣諸島沖で、日本領海を侵犯したのに対して、わが海上保安庁の巡視船が警告したところ、「釣魚島（中国側の魚釣島の呼称）を含むその他の島は中国の領土だ」と応答し、逆に巡視船に退去するように、要求した。

これまで、中国公船による、このような傍若無人な行動はなかった。中国は一九七八（昭和五十三）年以降、「棚上げ」の合意を、つぎつぎと破ってきた。

鳩山《はとやま》、丹羽《にわ》両氏に、刑法の「外患援助罪」適用を

二〇一二年十一月に、習総書記兼中央軍事委員会主席は、就任に当たって、「軍事闘争の準備を最重視する方針を堅持、国家主権と安全、発展の利益を断固として守る」と、訴えた。

二〇一三年一月に、ヒラリー・クリントン国務長官が、尖閣諸島が「日本の施政下にあるかぎり」、もし、外国が侵犯することがあれば、日米安保条約の対象とすると発言したために、日本政府から、マスコミ、国民までが、安堵した。

しかし、クリントン長官は日本の領土が侵略を蒙《こうむ》った場合に、アメリカが守るとはいわなかった。もし、外国が日本領土を侵した場合に、アメリカ軍が出動することになったら、竹島も、北方領土も、対象としなければならないことになってしまう。

六月に、鳩山由紀夫《はとやまゆきお》元首相が香港のテレビインタビューを受けて、「尖閣諸島は日本が中国から盗んだものだと思われても、仕方がない。そうカイロ宣言に入っているから、中国側から見れば、当然、成り立つ話だ」と語って、またいつものことかと、国民を呆《あき》れさせた。

丹羽宇一郎《にわういちろう》氏といえば、民主党政権によって駐中国大使に任命されて、北京で二〇一〇（平成二十二）年から、二年以上勤務した。丹羽氏は大使として起用される前に、作家の深田祐介《ふかだゆうすけ》氏と対談して、「日本は中国の属国となるべきだ」と、説いている。

深田氏は次のように月刊誌に、寄稿している。

「私は改めて、現役中国大使、丹羽宇一郎氏に取材したときの驚愕と憤激を想い起こした。

当時、丹羽現役中国大使は日本の一流商社、伊藤忠商事の役員であったが、中国熱に浮かされ、ほとんど発狂に近い陶酔状態にあった。丹羽氏は私に向かい、『将来は大中華圏の時代が到来します』と言い切ったのだ。『すると日本の立場はどうなりますか』と私は反問した。『日本は中国の属国として生きていけばいいのです』。丹羽氏は自信に満ちてそう明言したのだ。瞬間、私は耳を疑い、『この人は痴呆症に入っているのではないか』と思った。

『日本は中国の属国にならなくちゃならないんですか』と私が聞き返すと、『それが日本が幸福かつ安全に生きる道です』と繰り返したのである。

こういう痴呆症的人物、つまりは『売国奴』を中国大使に送り込む感覚もまた痴呆症的で、発狂状態を物語っていると言ってもよい」(『WiLL』、二〇一二年七月号)

丹羽大使は在任中に、月刊誌『WiLL』の花田紀凱《はなだかずよし》編集長と面談した時に、「南京大虐殺」について、「死者の数は三〇万人だか、二〇万人だか、一〇万人だか分からない。争えば(日中)両国にとって損だ」と、述べている。

さらに、二〇一二年十一月に、北京の日本人記者クラブにおいて、「いまどき『領土問題はない』なんて言ったら、世界中の笑いものだよ。外国から見れば、日本がオチンチン丸出しで、騒いでいるようなものなんだよ」と、発言している。

いわゆる「南京大虐殺」について、多くの客観的な、優れた研究が存在するが、中国国民党の謀略として捏造《ねつぞう》され、事実無根であることが、立証されている。私も検証に加わってきたが、日本国内の〝南京大虐殺派〟は、はじめ中国の宣伝を鵜呑《うの》みにして「三〇万人」とか、「一〇万人」といった数字を挙げていた。今日ではこれらの研究が行なわれた結果、最大でも二、三万人にまで数を減らしている。

日中国交正常化以前から、鳩山氏、丹羽氏のような媚中派が、これまで日中関係を大きく歪めてきた。

『六法全書』をひくと、今日でも刑法が「外患誘致罪」と「外患援助罪」を、規定している。外患は、外国から蒙る侵攻や、紛争を意味している。

刑法第八十一条は「《外患誘致》外国ニ通謀シテ日本国ニ対シ武力ヲ行使スルニ至ラシメタル者ハ死刑ニ処ス」、第八十二条は「《外患援助》日本国ニ対シ外国ヨリ武力ノ行使アリタルトキ之ニ与《くみ》シテ其軍務ニ服シ其他之ニ軍事上ノ利益ヲ与ヘタル者ハ死刑又ハ無期若《もし》クハ二年以上ノ懲役ニ処ス」と、定めている。

さらに、第八十八条が「《外患予備・陰謀》第八十一条及ヒ第八十二条ニ記載シタル罪ノ予備又ハ陰謀ヲ為シタル者ハ一年以上十年以下ノ懲役ニ処ス」と、定めている。

鳩山氏と丹羽氏をはじめとする、外国の侵略の手引きをする不届者に、「外患援助罪」を適用するべきではなかろうか。

「防衛出動」命令を待っていたら間に合わない

二〇一三年五月に、私は会食の席で、航空自衛隊の幹部と隣り合った。偶然、その日は中国の海洋監視船が三隻も、尖閣諸島を囲むわが領海を侵犯していた。そのなかの一隻が、ヘリコプターを搭載していた。

私は海上保安庁に「政策アドバイザー」として迎えられているので、巡視船について学んでいる。

私は航空自衛隊の幹部に、「もし、中国の海洋監視船が、格納庫からヘリコプターを引き出して、二〇人の武装した海上民兵を乗せて、魚釣島に降ろした場合に、自衛隊はどうしますか?」と、質問した。中国の漁民の多くが、海上民兵を兼ねている。

その幹部は、「その場合には、那覇から(航空自衛隊の)F-15(戦闘機)が緊急発進して、一五分後に尖閣上空に到着します」と、いった。

「しかし、海洋監視船から飛び立ったヘリが、民兵を島に降ろして母船に戻って、収納されるまで、一〇分間もかからないでしょう。わがF-15は武装要員によって魚釣島が占領された後に、上空に達することになります」というと、「そうなったら、お手上げです」という答えが、戻ってきた。

民兵によって、魚釣島に五星紅旗が立てられて、はためく。それに反して、日本政府はこれまで尖閣諸島に、一度として日章旗を翻したことがない。

中国の民兵によって、いったん占拠されてしまった魚釣島を奪還するためには、戦闘を交えることを覚悟しなければならない。警察、海上保安庁の手に、とうてい負えない。政府がどのように対処するべきか、協議しているあいだに、島にさらに民兵が送り込まれる。

自衛隊は閣議を催したうえで、国会の決議をへて、「防衛出動」が発令されるまでは、侵略を排除するために出動して、攻撃することができない。かりに、海上保安庁の巡視船が攻撃を蒙った場合に、海上自衛隊の護衛艦が、すぐ近くにいたとしても、「防衛出動」命令が発せられるまでは、手を拱《こまね》いて傍観するほかない。

日本の防衛法規には、重大な欠陥がある。世界のなかで「防衛出動」の規定によって、現地部隊の手を縛っているのは、日本しかない。諸外国では現地部隊の指揮官の判断によって、武器を使用できる。自衛隊は非常の事態に当たって、機能することができない軍隊なのだ。

そのあいだに、中国が魚釣島をはじめとする尖閣諸島を、「実効支配している」と、さかんに宣伝する。そうなると、頼りにしているアメリカも、傍観するほかない。

いったん、外国の武装兵力によって占領された島を、奪い返すためには、大きな犠牲を払って、血を流す覚悟を持たなければならない。戦後の日本にとって、はじめての決断となる。

私はもう四〇年以上も前から、魚釣島に陸上自衛隊一個中隊を、交替で駐留させるべきだと、主張してきた。三〇年も前だったら、中国は泣き寝入りせざるをえなかっただろう。だが、いまでは、日本の国内世論が、自衛隊を尖閣諸島に駐留させることを許すまい。それであれば、海上保安官を常駐させるべきである。

アメリカは財政を再建するために、向こう一〇年間で連邦支出から一兆一〇〇〇億ドル（約一一〇兆円）を削減しなければならない。その半分が国防費である。アメリカはもはや中東とアジアの二つの正面で、同時に戦う能力がないために、すっかり腰が引けている。

だから、アメリカは日本が中国を刺激して、日中が尖閣諸島をめぐって、武力衝突することを、恐れている。アメリカは中国の経済力に、いまだに魅せられている。中国と対決したくないから、腰が定まらない。

アメリカの中国に対する姿勢は、矛盾している。中国を友としたいかたわら、敵のようにも思える。そのために、米語に中国を指して frenemy という奇妙な新語がつくられて、マスコミにもさかんに登場するようになっている。友「フレンド」と、敵「エネミー」が合成語であって、アメリカの中国観が錯乱していることを、表わしている。「チャイナ」と「アメリカ」を合成した「チメリカ」という言葉も、頻用されている。

中国は、野田内閣が尖閣諸島を国有化したのに反発して、日中関係が悪化することに、いささかも顧慮することなく、全国にわたって反日暴動を仕掛けたうえで、尖閣諸島をめぐる軍事緊張を煽ってきた。

野田内閣が尖閣諸島を国有化したのは、もし、東京都が購入した場合には、都が魚釣島に避難港や、灯台を建設することが明らかだったから、中国の怒りを招くことを避けるためにとった、緊急避難としての措置だった。政府にとって中国の常識を大きく外れた反発は、まったく予想外のことだった。

習近平は権力基盤を確立するために、軍を自分の手にしっかりと、掌握しなければならなかった。そのために、日本との軍事対決を演出することが、必要だった。かつて、鄧小平が権力を固めるために、一九七九（昭和五十四）年に「ベトナムに懲罰を加える」といって、中越戦争を仕掛けたのと、同じ手口だった。

毛沢東が「政権は銃口から生まれる」と喝破《かっぱ》したが、銃口によって政権が維持され、対外関係を支えていることについて、今日の中国も変わらない。

中国の古い諺《ことわざ》に、「虎の背を駆る者は、降りることができない」というではないか。いま、習近平は虎に跨《またが》って疾走しているから、地上に降りることができない。

民進党政権誕生で高まった独立の気運

二〇〇〇（平成十二）年の総統選挙で、民主進歩党の陳水扁《ちんすいへん》候補が勝ち、民進党政権が登場することによって、国民党政権が台湾を占領して以来、国民党が行なってきた一党独裁体制に、はじめて終止符が打たれた。

民進党は、蔣介石の死とともに、一九八六（昭和六十一）年に野党の結成が認められるようになったのを受けて、結成された。台湾独立運動の党として、綱領に台湾の前途は、台湾の全住民によって決定するとする、「台湾の住民自決」を掲げた。その翌年には、一九四九年以後、四〇年近くにわたって施行されていた、戒厳令が解除された。

民進党は総統選挙の前年の一九九一（平成三）年の党大会で、綱領を「主権独立自主の台湾共和国」を樹立すると、改めた。

陳水扁氏は、一九五〇（昭和二十五）年に台南市で生まれた。一九九四（平成六）年に、民進党の台北市長として選出された翌年の十月二十五日、総統府前広場で国民党政権が、台湾が日本から「解放」されて「中国に復帰した」のを祝うとしてきた、光復節の記念集会の標語に、あえて「光復」という言葉を用いず、「落地生根《ドロオアファンケシ》、終戦五十周年《チエンツエンウーシチヨニエン》」によって、置き換えた。

「落地生根」は、大昔に台湾に大陸から渡ってきて、いまや、ここがわれわれの故郷《ふるさと》である、という意味だ。この記念集会には、総統府の主だった国民党政権の李登輝総統も、出席した。

　この年は、日本が大戦に敗れて、台湾が蔣介石軍によって占領されてから、半世紀に当たった。民進党にとって「光復」ではなく、「終戦の年」だった。

「光復」は、台湾が祖国中国に戻ることによって、光が甦ったことを意味している。その七カ月前の下関《しものせき》条約（日清戦争後の講和条約）一〇〇周年記念日には、台北市内で民進党、台湾独立連盟などの諸団体が共催して、「中国からの訣別」を宣言する大集会と、デモ行進を行なった。

「光復記念日」の一週間後には、台北、台中、台南、高雄市をはじめとする主要都市で、「われわれは台湾人」の集会や、大規模なデモ行進がつぎつぎと行なわれた。

　私は陳水扁総統が、二〇〇四年の総統選挙で再選を果たしたのに、安堵した。

台湾は、中国という恐ろしい龍を、檻《おり》のなかに閉じ込めている閂《かんぬき》である。これまで、中国は「台湾が独立を宣言することがあれば、軍事力を行使する」と、恫喝を繰り返してきた。

陳総統が再選されたことによって、中国と台湾の関係が、当然のこととして緊張した。

なぜ、米台関係がねじれてしまったのか

ブッシュ政権が登場すると、クリントン前政権の親中的な政策を改めて、台米関係がきわめて良好なものとなることが、期待されていた。

ブッシュ大統領は二〇〇一（平成十三）年に就任すると、クリントン政権が中国を「戦略的パートナー」と呼んだのを、「戦略的コンペティター（競争相手）」といい替え、「あらゆる手段を用いて、台湾を防衛する」と言明した。台湾へ近代兵器を供給するかたわら、アメリカ国内で米台高級軍事協議を行なった。ブッシュ大統領は、あたかも台湾の「守護の天使」であるかのように、みえた。

ところが、ブッシュ政権が船出して八カ月後に、同時多発テロ事件によって、ニューヨークの世界貿易センタービルと、ワシントンの国防総省《ペンタゴン》が襲われると、対中姿勢が大きく

変化した。中国を「国際テロリズムに対する戦い」のパートナーと位置づけて、米中が接近した。そのかたわらで、アメリカの経済界が中国の巨大市場によって、いっそう幻惑されるようになった。

ブッシュ政権が中国に擦《す》り寄ると、台米関係が緊張するようになった。

ブッシュ大統領は、二〇〇三（平成十五）年十二月に中国の温家宝《おんかほう》首相を迎えて「台湾が台湾海峡の現状を変更することを、許さない」と言明して、台北に衝撃を与えた。やはり、台湾はアメリカの戦略の駒にしか、すぎなかった。

その前月に、陳総統の発意による公（国）民投票法案が、台湾の国会で成立していた。ブッシュ大統領は、陳水扁政権が公民投票によって、台湾の独立をはかろうとしていると見て、これを嫌った。

ブッシュ政権は、台湾が大陸から攻撃を加えられた場合には、台湾を守るものの、台湾が独立を宣言した場合には、防衛しないことを明らかにしていた。

陳総統は一月に入って、三月に総統選挙と合わせて行なう公民投票について、アメリカを刺激することを避けるために、論点を「中国が台湾に向けたミサイルを撤去しないなら、ミサイルに対する防衛能力を強化すべきか」、「台中協議を進め、平和で安定した交流の仕組みをつくり、台中人民の福祉を追求すべきか」という二点に、絞った。パウエル国務長官は同じ日のうちに、この発表について皮肉をこめて「やや、柔軟性が出てきた」と述べた。

米台関係が捩《ねじ》れてしまった大きな理由の一つに、陳政権がワシントンの内部情報をとる能力を欠いていることが、あげられた。台湾が長年にわたって、外省人による政権のもとにあったために、外交経験を十分に持つ、台湾人の人材が不足していた。外省人がエリートと富裕な外省人でなければ、アメリカの一流校に学べなかったから、外省人が陳政権の利益を、代表して外交部を支配し、アメリカの人脈を握ってきた。外省人は陳政権の利益を、代表していなかった。

アメリカ側にも、責任があった。ブッシュ政権は、その二年前にテレーズ・シャーヒン女史を、在台アメリカ協会（AIT）の会長として登用した。ブッシュ大統領の弟のジェブ・ブッシュ・フロリダ州知事と親しかったことから、任命されたのだったが、ビジネス界の出身であって、外交についてまったくの素人《しろうと》だった。

シャーヒン会長は不規則な発言が、あまりにも多かった。二〇〇三年に訪台した時には、ブッシュ政権が公民投票に反対していないと、誤って伝えた。その後、新聞紙上で

「ブッシュ大統領は台湾独立に反対していない」とも、述べた。そのうえ、二〇〇四（平成十六）年三月の総統選挙で陳水扁総統が再選を果たすと、国務省の意向に反して、ただちに台湾側に祝意を伝えた。

ブッシュ政権は、陳政権が「何をするのか、分からない」という、不信感を深めていた。台米間の意思の疎通が、不十分だった。

それにしても、アメリカ議会にせっかく台湾を擁護する、上下院議員の強力な勢力が存在していたのにもかかわらず、陳政権が公民投票を行なうのに当たって、これらの議員に十分な説明をして、アメリカ議会のなかで、積極的な支持を取りつけなかったのが、悔やまれる。そうなれば、政権として強く反対することができなかったろう。

二〇〇四（平成十六）年十月に、パウエル国務長官は、「台湾は独立国家ではない。国家としての主権がないというのが、アメリカの立場である」とまで、いいきっている。これは、アメリカが一九七九（昭和五十四）年まで中華民国を承認していた事実に矛盾するものだが、それでもアメリカは台湾が中華民国にせよ、中華人民共和国にせよ、中国に属すると認めたことは、一度もない。

日本はもちろん、台湾に対して冷淡な態度をとって、台湾がどうあろうと、無関心であり続けた。日本はアメリカの属国だったから、もう一つの属国に構うことがなかった。

台湾にあまりにも無知なアメリカ人

二〇〇四（平成十六）年に、アメリカの大統領選挙が催《もよお》されたが、民主党候補として事実上決まったジョン・ケリー上院議員が、予備選挙中に「台湾は中国が提唱する一国二制度を、受け入れるべきだ」という、非常識な発言を行なっていた。そのジョン・ケリーは二〇一三年に、オバマ大統領によって、国務長官に任命された。

私はアメリカの親しい友人たちに、台湾が憲法を現実に適《かな》ったものに改めることを、支持すべきだと訴えてきた。しかし、ジャーナリストも含めて、台湾に対して同情的な者のあいだでも、台湾について無知であることに、驚かされた。

ほとんどの者が、私が説明するまで、中華民国と台湾、本省人《ほんしょうじん》と外省人《がいしょうじん》の区別についても、蔣経国政権まで、人口の八〇パーセント以上を占める本省人が、占領下にあった事実も、中華民国憲法がいまだに内蒙古、新疆、チベットなどを、領土として定めていることも、何も知らない。

中華民国憲法は、蔣介石政権がまだ南京にあった、一九四六（昭和二十一）年十二月に制定されたが、第四条が「中華民国の領土は、その固有の領域による。国民大会の決議を経なければ、変更することができない」と、規定している。現行憲法は制定されたはじめから、台湾を領土として、規定してこなかった。

中華民国憲法は、国民党政権が台湾を支配するようになってから、これまで何回も手直しが行なわれたものの、大陸から駆逐されてしまったために、国民大会を開催することができず、今日まで領土条項を改められないでいる。

このように、台湾が中華民国の領土であったことはない。中国の台湾に対する主張も、同じように根拠がない。

一九九三年に、中国の全国人民代表大会が、「反国家分裂法」を制定した。「反国家分裂法」というのだから、台湾が中国の一部であることを前提としているが、中国が台湾のごく一部を短期間だけ、統治したことがあっても、中国の固有の領土だとはいえない。ましてや、中華人民共和国の一部であったことはない。

それなのに、この法律は台湾が「独立」をはかった場合に、台湾に対して「非平和的方式」を用いることを規定している。中国は「国家分裂」といって、騒ぎたてているが、はじめから一つでなかったものが、どうして分裂できるのだろうか。

台湾国民の大多数が漢族ではないことや、北京語が台湾の大多数の国民にとって、強制されたものであることについても、アメリカ人は無知である。

アメリカの友人たちは、陳総統が二〇〇六（平成十八）年に憲法改正について問う公(国）民投票を行ない、その二年後に憲法を改めると公約していることについて、国号を中華民国から台湾に変え、国土を台湾と周辺島嶼に限ることは、容認することができないが、もし、新憲法の内容を、民主的なものに改めるのに留めるのなら、反対しないと、私にいった。

私は台湾が「一つの中国」原則を放棄しないかぎり、台湾国民の意思によって国名を「台湾」に改め、国土を台湾本島と周辺島嶼に限ったとしても、現状を変えることにならず、民主的な手続きに従って、憲法を改めるのに反対するのは、民主国家に対する内政干渉になると、反論した。

現にアメリカは、カーター政権のもとで中国を承認した時に、議会が立法した台湾関係法（TRA）で、「台湾」と呼んでいるではないか。

「一つの中国」原則といっても、どっちみちアメリカが台湾を守るためにつくった、虚構でしかない。「一つの中国」といっても、中華人民共和国も、中華民国も、「中国が一つ」

だと主張しているというだけのことであって、台湾が共産中国に属することを意味するものでない。

大多数の台湾国民が、「一つの中国」原則を放棄したいと願っているのは、よく理解できる。しかし、すぐに実現することは、できない。台湾の安全にとって、この前提を尊重することが、不可欠になっている。

台湾が性急に「一つの中国」原則を捨てることは、台米関係にとって危険である。アメリカは台湾が独立を求めて、「暴走」することに対して、繰り返し警告してきた。

台湾の安全は、アメリカの意思ひとつ

二〇〇四（平成十六）年十一月に、台北において与党の民進党のシンクタンクである「台湾智庫《たいわんちこ》」が主催して、日印台三カ国の協調を模索する会議が開かれて、私も参加した。私は台湾政府から依頼されて、インドから多年の同志である、フェルナンデス前国防相を口説いて、来台してもらった。インドは、フェルナンデス国防相のもとで、中国に対抗するために、核武装を断行した。

私はインドにも通ったが、大統領府と国防省は、かつてのイギリス統治時代の壮麗な総

督府の建物のなかにある。もちろん、歴代のイギリス総督の写真は、飾ってはいない。フェルナンデス前国防相に、台湾の総統府に歴代の日本総督の肖像写真が展示されていると話したら、吃驚《びっくり》していた。

私はこの会議で、日本も、インドも、アジアの国であるのにもかかわらず、台湾が万一、中国から攻撃を蒙った場合に、残念なことに、台湾を軍事的に救援することができず、アメリカだけが、台湾へ先端防衛兵器を供給するだけではなく、軍事介入して護《まも》ることができるのであるから、台湾の安全はひとえにアメリカの意思にかかわっていると、前置きして提言した。

ブッシュ大統領をはじめ、アメリカの政権の中枢、議会、研究所、ジャーナリズムの有力な人々のほとんど全員が、台湾の真実について、まったく知らない。

台湾と中華民国との区別もつかない。第二次大戦後に、台湾島民が再び外国――国共内戦に敗れた蔣介石政権――の支配下に入ったという現実も、理解していない。

これらの人々は、〝南京大虐殺〟（中国が捏造したものであるが）や、中国の天安門事件、チベットで二〇万人以上を虐殺したことや、ブレジネフのソ連による一九六八年のチェコ侵攻は承知していても、台湾の二・二八事件について、まったく無知だ。

アジアの平和のためには、台湾を守らなければならない。インドはネール首相が周恩来首相の「平和五原則」によって騙されて、「インド・チナ・バイバイ」（ヒンズー語で「インドと中国は兄弟」）の幻想に酔って、中印国境の防衛を緩めたところを奇襲されて、大敗した。

この中印戦争によって、インドは今日でも、日本の九州の面積の二倍に当たるラダック地方を、中国によって奪われたままでいる。ネール首相はすでに健康を損《そこ》ねていたが、翌年、死去した。中国によって騙された精神的衝撃によって、死期を早めたともいわれる。

そこで、日本の有志が、インドの自由を愛する人々とともに、あらゆる機会をとらえて、アメリカの要路の人々に対して、台湾の真実について啓蒙し、世論を説得する努力を行なうべきであると、訴えた。

陳水扁政権になってから、台湾へ戻った時に、台湾の表玄関である「中正（蔣介石の号）空港」は、「桃園《とうえん》空港」に改められていた。桃園は地名である。

敦化北路のロータリーを訪れたところ、蔣介石と児玉源太郎総督の頭部だけをすげかえた、馬上の銅像がなくなっていた。蔣介石の銅像が、全島に三万体もあったというが、すべて撤去されたということだった。

陳水扁政権のもとで、台湾独立への気運が、最高潮に達した。

中華郵便を台湾郵便と変えたように、中国や、中華がつく名称を捨てて、台湾に改めるようにという正名運動《チャミヤウントン》も、盛り上がった。

しかし、台湾国民による独立を求める勢いは、アメリカが背を向けたために、しぼんでしまった。

終章

「日本と台湾」の将来

——なぜ両国は、運命共同体なのか

先進工業国となった台湾

今年（二〇二二年）五月に葛西敬之《かさいよしゆき》JR東海名誉会長が亡くなられたが、何回か東京会館で昼食をご馳走に預かったことがあった。というのは、葛西会長はリニアモーターを、アメリカに売り込むことに執心を持っていられたからだった。

私は率直にいって、アメリカにリニアモーターを売るのはむずかしいと思うと、考えていた。アメリカ人は自動車好きと一体になって、車による大量輸送が普及しており、航空輸送が安価だから、協力するのをお断りした。

葛西会長は執心が絶えず、私が懇意にしていたリチャード・ローレス米国国防副次官が退官すると、リニアの売り込みにコンサルタントとしてやとわれた。ローレス副次官はブッシュ大統領のもとで、パキスタンから極東までの国防省の権限を預かっていた。

親しい人には、リックの愛称で知られていた。私はリックの従兄弟で、ワシントンの労務コンサルタントのレオとも、親しかった。

ちょうど国防省で、西太平洋地域の重心をグアム島に移すということが論じられていたので、私はリックにグアム島のカマーチョ州知事を紹介してもらって、グアム島を視察するために訪問した。

カマーチョ知事が空港まで出迎えてくれて、島を案内してくれた。その翌日は、偶然、先の大戦中にアメリカ軍がグアム島を日本から奪還した「リベレーション・ディ（解放記念日）」に当たった。私も知事官邸で行なわれた祝賀晩餐会に招待された。

私は挨拶するのを頼まれたので、「みなさんは今夜、大きな間違いを犯されています。先の大戦では、私たちがグアム島を解放しました」と言って、「これから日本がグアム島をもっと豊かにします」と言って、笑わせた。いっせいに拍手がおこった。

日米関係はそれほどよいものに、なっていた。

私はこの話をしばらく忘れていたが、思い出したのは、昨年十月に古い台湾の友人の陳銘俊氏が、福岡の総領事として赴任されて、旧交を温める電話を頂戴したからだった。

そして陳銘俊《ちんめいしゅん》氏が蔡英文《さいえいぶん》総統の補佐官だった年に、私がリックを通じてアメリカが台北に海兵隊を事前配備することをすすめたことについて、あらためてお礼を言われたからだった。その直後だったが、台湾にあるアメリカ代表処であるアメリカ交際協会が、アメリカ海兵隊が台北に入ったことを認めた。

そして先生から、私がいつでも福岡を訪れる時には、総領事館の客になってほしいと言われた。

いったい、これまで台湾が日本と同じ重さをもってきたことが、あっただろうか？

中国の十四億人に対する台湾の人口は、二千三百万人しかいない。

だが、二千三百万人の台湾が全世界の半導体の九十一パーセントを生産している先進工業国だといったら、驚く人々が多い。

台湾ではジョークであるが、もし中国が台湾に進攻することがあったら、多くの台湾国民が台湾の先進工業地帯に逃げ込むことになろうという。中国が羨望《せんぼう》の的としており、破壊することがないからだという。

韓国の経済成長は、〝韓国《ハングク》の奇跡《キジヨク》〟と称賛されてきたが、李承晩《イスンマン》、朴正熙《パクチヨンヒ》から全斗煥《チヨンドフアン》、金泳三《キムヨンサム》、金大中《キムデジユン》、盧武鉉《ノムヒヨン》、朴槿恵《パククネ》、文在寅《ムンジエイン》に至るまで権力的政治家による勢道政治《セイドウセイジ》と一体になった政治体制によるものとされてきた。

それに対して台湾の場合は李登輝総統の明解で民主的な政治勢力な結びついたことによって、先進経済国として変身した。

田沢湖《たざわこ》と澄清湖《ちょうせいこ》との姉妹湖協定

日本と台湾のあいだには、公的な関係がまったく存在していない。それにもかかわらず、日本と台湾両国民のあいだは、民間による強い絆《きずな》によって結ばれている。

日本にとって台湾ほど、幅広く強い民間交流によって結ばれている国は、他にない。

私は一九八六（昭和六十一）年に、秋田県田沢湖町《たざわこまち》（現在の仙北市《せんぼくし》）で、国際交流をテーマとしたシンポジウムが催されたのに、講演を依頼されて招かれた。主催団体の理事長を秋田県出身で、親友の渡部亮次郎《わたなべりょうじろう》氏がつとめていた。

はじめて田沢湖を訪れたが、日本でもっとも水深が深いという湖水は美しかった。シンポジウムが始まる前に、田沢湖にアメリカや、ヨーロッパから観光客を誘致したいが、どうしたらよいか、話してほしいと求められた。当時、札幌の雪まつりに海外から、多くの観光客が訪れていた。

湖畔のホテルの会場は、地元だけではなく、隣町や村の人々でいっぱいだった。

私は「申し訳ありませんが、アメリカや、ヨーロッパから観光客がご当地まで、やって来ると思いません」と述べてから、「これから、東南アジア諸国が急速に豊かになってゆ

きます。すでに、台湾は豊かになっています。台湾から東南アジアまで雪が降らないし、紅葉もありません」と、続けた。そして、

「台湾は日本にとって縁が深い、大切な国です。台湾をアジアの玄関と考えて、まず台湾の人々に、田沢湖の美しさを知ってもらったら、どうでしょうか」

と、問いかけた。

話しながら、姉妹都市という言葉が、ひらめいた。

「みなさんは姉妹都市をご存じだと思います。台湾には美しい湖水《みずうみ》が、いくつかあります。みなさんが希望されるなら、田沢湖と台湾の湖水と姉妹湖の縁結びをしたら、どうでしょうか」

と、呼び掛けた。おそらく、それまで世界に姉妹湖は、例がなかった。

そのうえで、台湾政府に多くの友人を持っているから、提案してもよいと、つけ加えた。

今日では、日本の多くの自治体や団体が、台湾と提携関係を結んでいるが、当時は一つもなかった。

翌週、田沢湖町から商工会会長や、観光協会会長が上京して、私の狭い事務所がいっぱ

いになった。台湾の湖水との縁結びを、ぜひ、実現したいと依頼された。

私は東京にあった、台北経済文化代表処の当時の林金莖《りんきんけい》副代表と、日中国交正常化前の中華民国大使館のころから、親交があった。林氏は本省人だったが、早稲田大学で法学修士号を取得したうえで法学博士を授けられた国際法の権威で、中華民国大使館で参事官をつとめていた。

ためしに、林氏にその場で電話を入れたところ、大いに喜ばれた。すぐ本国政府と連絡して実現したいと、約束してくれた。

台湾政府が台湾中部の南投《なんとう》県の日月潭《じつげつたん》国家風景区にある日月潭と、高雄市にある澄清《ちょうせい》湖《こ》を推選してきたが、人口が密集した高雄市にあることから、澄清湖を希望した。十一月に、田沢湖町一行が訪台して、姉妹湖縁結びの調印式が行なわれた。台湾中の主要な新聞、テレビが澄清湖に招かれて、取材した。

姉妹湖縁結びの三周年に、田沢湖町から湖畔に立つ伝説の『辰子《たつこ》姫』像をデフォルメして創作した『辰子飛翔の像』が、澄清湖へ贈られた。

澄清湖では、湖水のなかに小島を造成して、像の前に「澄清湖と姉妹湖となった、日本のもっとも美しい湖水である田沢湖から贈られた」という銅板が設置され、美しい赤い橋がかけられた。

ほどなく澄清湖から、お返しに大きな銅製の『飲水思源の像』が贈られてきて、田沢湖畔に据えられた。林副代表は帰台して外交部顧問となっていたが、除幕式に参列した。今日でも、この水を汲む少年の像が、湖畔の松林のなかに建っている。

のちに、私は田沢湖が台湾の湖水と姉妹関係を結ぶことについて、秋田県が田沢湖町に対して、国の意向に反するといって、圧力をかけてきたということを、知った。だが、地元の人々は民間が行なうことだとして、県の圧力を撥《は》ね退《の》けた。

台湾から観光客が田沢湖畔と、田沢湖高原の玉川《たまがわ》温泉に、訪れるようになった。県紙の『秋田 魁《さきがけ》新報』が社説で、田沢湖と澄清湖の縁結びを取りあげて、賞讃した。全国紙が競って中国に諂《へつら》っていた時に、勇気あることだった。

ますます広がる日台の民間交流

二〇一三年現在で、長野県、群馬県の二つの県、青森県大間《おおま》町、沖縄県宮古島《みやこじま》市、石垣《いしがき》市、与那国《よなぐに》町、福島県牟岐《むき》町、玉川《たまがわ》町、福井県美浜《みはま》町、群馬県上野《うえの》村、秋田県上小阿仁《かみこあに》村、岡山市、仙台市、横浜市、東京都八王子《はちおうじ》市、鳥取県三朝《みささ》町、北栄《ほくえい》町、北海道旭川《あさひかわ》市、

津別《つべつ》町、栃木県日光市、岐阜県美濃《みの》市などが、台湾の県や、市、郷（町村）と、姉妹関係や、教育観光協定などを、結んでいる。

その他に、石川県議会が台南県議会と友好交流協定を結び、埼玉県議会が日台友好議員連盟を結成するほか、神社と廟や、数多くの団体同士のあいだに、姉妹提携関係が存在している。日韓、日中関係が困難なものとなっているかたわら、日台の民間交流がいっそうさかんになっている。

二〇〇五（平成十七）年に、田沢湖町と角館《かくのだて》町と西木《にしき》町が合体して、仙北市となった。角館町は武家屋敷で、有名である。

二〇一一（平成二十三）年に、玉川温泉と台北市の北投《ペートウ》温泉が姉妹温泉の縁組みを行なった。北投温泉はラジウムを含んだ北投石《ほくとうせき》によって有名だが、玉川温泉で北投以外でははじめて、同じ北投石が発見されている。

二〇一二（平成二十四）年に、田沢湖と澄清湖が縁結びを行なってから、二五周年に当たることと、玉川温泉と北投温泉の提携も合わせて祝うために、仙北市から門脇光浩《かどわきみつひろ》市長が団長となって、一〇〇人以上の市民一行がチャーター機を仕立てて、台湾を訪れた。私も参加したが、一行は四泊の日程で、北投温泉と台北市内、澄清湖を管理している自来水《じらいすい》た。（中国語で水道のこと）公司本社がある台南、高雄を訪れて、台湾側の熱烈な歓迎を受けた。

北投温泉では、陽明山《ようめいざん》に仙北市が贈った桜の苗木を植樹する野外式典が行なわれた。台北市役所の二人の美しい女子職員が、日本の着物を着て仮設舞台に上がったが、着付けがよいのに、感心した。

市を代表して、市の局長が流暢な日本語で、心がこもった祝辞を述べた。日本時代に北投公園がつくられてから一〇〇年、日本の学者によって北投石が発見されてから一〇〇年、北投温泉博物館が建設されてから一〇〇年の、三つの一〇〇周年に当たると述べ、陽明山が日本時代に「草山《そうざん》」と呼ばれていたことや、昭和天皇が皇太子殿下として台湾を訪問されたのを記念して、台北市内に桜並木が植えられたのが、今日でも市民の大きな憩いの場となっておりますといって、日本に感謝したのが、嬉しかった。

一行のなかの角館高校飾山囃子《おやまばやし》同好会の男女高校生が、装束《しょうぞく》で伝統芸能を披露して、友好を盛りあげた。

台湾と公的な関係がないだけに、民間外交によって両国の絆を固めることが、きわめて重要である。

田沢湖町時代から二五年にわたって、吉田淳二《よしだじゅんじ》田沢湖町商工会長、高橋練三《たかはしれんぞう》仙北市国際交流協会長をはじめとして、日台国民の結びつきを強めることに、たゆみなく尽力してきた仙北市民の努力を、高く評価したい。

台湾は、日本が独立を保持してゆくのに当たって、アジアにおけるもっとも重要な国であって、日本の分身であるというべきである。日本として台湾との経済、文化、政治にわたる関係を強めてゆかなければならない。

台湾の自立こそが、日本を救う

二〇一三年四月に、台北において、「日台漁業協定」が結ばれた。尖閣諸島周辺の日本の排他的経済水域（ＦＥＺ）の一部において、台湾漁船の操業を認める、画期的な協定となった。というものの、日本統治時代には、台湾漁民が日本国民として自由に操業できたのだから、日本が独立を回復した後に、同じ日本人だった台湾人に配慮して、すぐに認めるべきだった。

日台は、運命共同体としての絆によって結ばれている。日本は台湾を「もう一つの日本」とみなして、台湾経済を援《たす》けることに努めなければならない。日台間に、ＦＴＡ（自由貿易協定）を結ぶべきである。そして、日台が東シナ海の海底ガス資源の共同開発に、取り組むことを提起したい。

日本は中国に対して、台湾に対する武力攻撃を容認しないことを、はっきりと表明するべきである。

日本にとって、日台関係を公的なものとすることが、何としても必要である。また、そうすることによって、日本が台湾を中国と別個の存在として扱うことによって、台湾国民を励ますことができる。

日台断交後、日本政府は台湾があたかも地図のうえに存在していないかのように、対応してきた。日本の存亡に目を瞑《つむ》ってきたのと、同然だった。このような不自然な状況を、急いで正さなければならない。

アメリカは米台断交に当たって、議会が米台関係法（ＴＲＡ）を立法することによって、その後の米台関係を支えてきた。台湾関係法は、台湾の「平和と安定は、合衆国の政治、安全保障および経済的利益に合致し、国際的な関心ごとであることを宣言する」と、うたっている。

アメリカの台湾関係法から三〇年以上も遅れることになるが、日本の国会が一日も早く、台湾関係基本法とでも呼ぶものを制定するべきである。

台湾はほとんどの国際機構から、除《の》け者とされている。二〇一三年に入って、アメリカ議会で、世界の民間航空の安全運航を管理する国際民間航空機関（ＩＣＡＯ）から、台湾が除外されてきたことについて、政権に対して台湾の加盟をＩＣＡＯ加盟諸国に認めさせるよう、働きかけることを義務づける、ロイス法が可決され、七月にオバマ大統領が署名した。日本も、台湾の国際地位を高めるために、台湾がすべての主要な国際機関に加盟できるように、努力するべきである。

台湾は、日本が東南アジアへ入ってゆくのに当たって、日本にとって理想的なパートナーである。

台湾はその歴史的な体験によって、アジアの二つの文化を兼ね備えている。日本文化は創意に溢れ、集団の組織力と規律の正しさによって抜きん出ているが、あまりにも独特であるために、国際性を欠いて、外界から孤立しやすい。

台湾人は、日本文化を身につけているとともに、その出身から中国文化の強い影響も蒙っている。中国文化は仲間しか頼れるものがないから、人々が個性を逞《たくま》しく表現し、起業家精神に溢れている。つねに生きるために新天地を求めてきたから、国際性が豊かである。

台湾が独立国家として繁栄することは、日本の安全にとって、どうしても必要である。台湾の安全をアメリカの手だけに、委《ゆだ》ねてはなるまい。台湾を援けることは、日本を守り、日本を救うことである。

「米国凋落《ちょうらく》」は風評にすぎない

台湾の安全は、日本の場合と同じように米国が守ることによって成り立つ。

このところどこを向いても、「米国が力を失って、衰退している」という見方でいっぱいだ。書店の棚や新聞広告を見ると、『米国崩壊』といった題の本が並んでいて、飽き飽きさせられる。いい加減にやめてほしい。

米国が落ちぶれたというが、本当に米国が凋落しているか。世界の頂点に立っていたのに、転落しつつあるのだろうか。私はそのようなことはありえないと思う。これは風評にすぎない。

米国はいまから三十年後、いや半世紀たっても、世界でもっとも大きな力を持っている国であり続けよう。中国や、インド、ましてやロシアが、国力で米国を追い抜くことはありえない。

風評は根拠がきわめて薄いか、根拠がないのにもかかわらず、多くの人々が真実だと思い込むことをいう。

風評によって惑わされると、現実を見誤って国益を大きく損ねかねない。

今日のように情報が氾濫している時代には、正しい判断を行なうことが大切だといえば、反対する者は誰もいまい。

「常識」という言葉は、数多くある明治翻訳語の一つである。明治に入るまで、日本語に存在していなかった。

それまで日本になかった概念が、津波のように押し寄せるなかで日本語の仲間入りをした明治訳語は、漢字の衣を装った外国語のようなものだろう。

常識はコモンセンス（commonsense）の訳語だが、日本語として用いられるうちに、いつの間にか、もとのコモンセンスとまったく違った意味を持たされるようになった。

日本語の「常識」は、社会の全員が事実であると信じていることを、意味している。

「常識外れ」を『広辞苑』でひくと、「世間での一般的な考え方から大きくはずれること」と説明されている。

私は英英辞典でもっとも権威があるとされている、『ウェブスターズ・サード・インターナショナル・ディクショナリー』三巻を所蔵しているが、「commonsense（コモンセンス）」をひくと、「good sound ordinary sense. good judgement or prudence」（普通人の正しい、しっかりとした感覚。正しい判断、分別）などと説明されている。個人がもとから備えている、正しい判断力を意味しており、あくまでも個人から発するものだ。「世間で一般的な考え方」と、まったく異なっている。

私は一九五〇年代末に、米国に留学した。翌年、共和党のアイゼンハワー政権のリチャード・ニクソン副大統領と、民主党のジョン・ケネディ候補が、大統領選挙を戦ったのを忘れることができない。

ケネディ候補が「このままゆくと、米国がソ連に追い抜かれる」とさかんに危機を煽り立てたのに対して、ニクソン候補はソ連経済の仕組や、技術力などからいってありえないと、理を尽して反論したが敗れた。

その三年前に、ソ連がフルシショフ政権のもとで、米国に先駆けて人工衛星『スプートニク』を軌道にのせたために、米国民が強い衝撃を受けた。

米国民は第二次大戦以後、米国が〝世界のナンバー・ワン国家〟でなければならないと信じてきた。

ソ連はケネディとニクソンが大統領の座を争った一九六〇年から、三十一年後の一九九一年に自壊した。

米国が衰退しつつあるという警告は、何も新しいものではない。

つねにまことしやかに唱えられ、米国民をそのつど奮起させてきた。

米国民が常用している、精力増強剤のサプリのようなものだ。サプリ錠だと思ったほうがよい。

一九七〇年代に米国は、いまから振り返ると信じられないことだが、日本によって追い越されるという恐怖心に駆られていた。日本が今日の中国のようなものだった。

三菱グループが米国経済のシンボルであるニューヨークのロックフェラー・センター・ビルを買収するかたわら、エズラ・ヴォーゲル・ハーバード大学教授が『ジャパン・アズ・ナンバーワン』という著書を発表して、ベスト・セラーになった。私はボーゲル教授と親しかったが、気の毒なことにこの本が出版された直後に、昇る太陽のはずだった日本のバブル経済が破裂して、日本が萎《しぼ》んでしまった。

もう日本国民はこのころのことを、忘れている。健忘症を患っている。

レーガン政権をとれば、ロナルド・レーガン候補が一九八〇年の大統領選挙で、民主党のジミー・カーター大統領がソ連に対する弱腰外交を行ない、国防予算を削ったと攻撃して、「強いアメリカ」をつくり、国防支出を大幅に増額することを訴えて勝った。レーガン政権のもとで、米国は息を吹き返した。

ナンバー・ワンの地位を保つために

これまで米国では、衰退してゆくという閉塞的な気分から、自信を取り戻すシーソーゲームを繰り返してきた。

バラク・オバマ大統領は二〇一一年の連邦議会における年頭教書演説のなかで、「これはわれわれの世代における〝スプトニック（危機の）モーメント〟だ」と、訴えた。といっても、一九五七年にソ連が人類最初に人工衛星『スプートニク』を、宇宙軌道にのせた危機を指していたのではない。

このままゆくと、中国が米国を追い越してしまうと、危機感を露わにしたのだった。

オバマ大統領のあとを継いだ、ドナルド・トランプ大統領のスローガンは、読者諸賢もよく記憶されておられよう。「アメリカ・ファースト」「メイク・アメリカ・グレート・アゲイン！」（アメリカを再び偉大な国家としよう！）というものだ。共和党の大統領候補選びで、泡沫候補でしかなかったのに、このスローガンによって彗星のように大統領候補の金的を射止めて、ホワイトハウス入りした。

米国民は〝ナンバー・ワン〟の地位を保つために、衰退論を好んでいるのだ。〝ナンバー・ワン〟の宿痾《しゅくあ》だろう。そして達磨《だるま》の人形の底におもりをつけた玩具の起き上がり小《こ》法師《ぼし》のように、起きなおる。

米国はベトナム戦争や、アフガニスタン戦争の失敗によって鼻血をだして、一時、畏縮するが、傲慢無礼な態度を改めることがない。〝ナンバー・ワン〟の使命を授かっていると、信じている。

なぜ、米国は〝ナンバー・ワン〟の力を失わないのだろうか。米国は自由で、熾烈《しれつ》な競争社会である。地縁、人縁を捨てて集まった国であるから、自分の力と金《かね》の力しか頼るものがない。

米国は活力が溢れているから、混乱しているようにみえる。

いま、ウクライナ戦争という突発事によって〝グローバリゼーションの時代〟が、一時的に中断されているが、グローバリゼーションは世界の大きな流れだ。誰でも米国を訪れれば、すぐに肌で感じることができるが、米国は国の構成から文化まで、グローバリゼーションにもっとも適している。

ところが、米国衰退論は困ったことに、ソ連や、中国のような国を鼓舞する。

一九七六年の第二十五回ソ連共産党大会において、ブレジネフ書記長はソ連圏が米国を凌駕しつつあると誇って、「ソ連の国際的地位は年ごとに強まり、世界に対する社会主義諸国の力がますます強くなっている」と、演説している。

中国の習近平主席も中国が興隆しつつあるかたわら、米国が力を衰えさせていると判断して、ことあるごとに「五千年の偉大な中華文明の復興」を訴えて、世界への覇権を拡げる「一帯一路」戦略を進めている。

あとがき

一九七二(昭和四十七)年に、日本は田中角栄内閣の手によって、日中国交正常化を行なったが、その時に中華民国と断交して、日台間のいっさいの公的な関係を絶った。これは、日本にとって、独立を回復してから最大の失政となった。

歴史は人によってつくられ、人によって弄《もてあそ》ばれる。

歴史を遡《さかのぼ》って、「もし、あのときに、そうしていなかったら」という「イフ」を、いってはならないと、戒めている。しかし、今日のアジアの情勢を知ったうえで振り返れば、歴史は多くのミスキャストを、登場させてきた。そこで、「もし」と問うことは、同じ失敗を繰り返さないために、有益な教訓になる。

ルーズベルト大統領も、毛沢東主席も、田中角栄首相も、ミスキャストだった。中国共産党の立場に立てば、もし、毛沢東が北朝鮮の金日成主席に、韓国を奇襲して朝鮮戦争を仕掛けるよう嗾《けしか》けなかったら、台湾は中国のものとなっていたはずだった。

過去を振り返ると、人が織りなしてゆく歴史の進行に当たって、未来へ向けて選択がいかに重要であるか、学ばされる。

第二次大戦をきっかけとして、台湾ほど歴史によって、酷《むご》いまでに翻弄された国はない。

二〇一一（平成二十三）年に、アメリカで『フーバー回想録』が出版された。

ハーバート・フーバーは、一九四五（昭和二十）年の終戦時に七十一歳になっていた。一九二九（昭和四）年から一九三三（昭和八）年まで、大統領を一期だけ務めたが、一九三二（昭和七）年の大統領選挙でルーズベルトに敗れた。ルーズベルトはフーバーを激しく憎んでいたから、ルーズベルト政権中は、フーバーは完全に無視された。

一九四五年四月にルーズベルトが死んで、トルーマン副大統領が大統領に就任すると、トルーマンがミズーリ州選出上院議員時代からフーバーと親しかったことから、トルーマンの私的な顧問をつとめた。

フーバーは、対日戦争が末期に差しかかると、トルーマンに対して、アメリカが真珠湾攻撃の報復をしようとして、日本を壊滅させることがあってはならないと、戒めた。共産主義がアジアへ進出するのを食い止めるために、日本と一日も早く講和すべきだと説いた。

フーバーは、「日本は基本的に西側に属する国家だ」と、論じた。日本がアジアの安定勢力であって、戦後も日本が朝鮮半島と台湾の領有を続けることを認めるとともに、日本の復興を援《たす》けるべきだと主張した。中国大陸の共産化を防止するために、日本軍が段階的に、撤収すべきことを、進言した。

ところが、陸軍参謀総長や、陸軍長官をはじめとする閣僚たちが、フーバーの提言が世論に逆らうといって、強く反対したために、陽《ひ》の目をみなかった。

アメリカは日本占領中に米ソの冷戦が激化すると、占領政策を根本から改めた。フーバは炯眼《けいがん》だった。もし、日本が戦後も、朝鮮と台湾を統治したとすれば、朝鮮戦争も起こらなかったし、中国大陸に駐兵しつづけていれば、大陸が赤化することもなかった。

フーバーは戦後、マッカーサーと会ったとき、ルーズベルトを日本に戦争を仕掛けた「狂人」と呼んだ。マッカーサーも同意した。

台湾の地位は、国際法によって、現在も未定である。台湾は、「二つの中国」である中華民国、中華人民共和国のいずれにも、属していない。したがって、もし、日本国民が法に基づく国際秩序を願うのであれば、台湾の帰属は台湾住民が決定するべきである。

台湾が中国によって、呑み込まれることがあってはならない。二三〇〇万人の台湾国民の人権の問題である。万一、台湾が中国のいう「統一」を強いられることがあった場合には、第二のチベット、新疆ウィグル、モンゴルをつくりだすこととなろう。

私たちは日本のためにも、台湾国民が日本へ寄せる熱い想いに、応えなければならない。

本書は、二〇一三年九月、小社より新書『日本と台湾』として
刊行された作品を、加筆・修正のうえ文庫化したものです。

一〇〇字書評

切り取り線

購買動機（新聞、雑誌名を記入するか、あるいは○をつけてください）

□（　　　　　　　　　　　　）の広告を見て	
□（　　　　　　　　　　　　）の書評を見て	
□ 知人のすすめで	□ タイトルに惹かれて
□ カバーがよかったから	□ 内容が面白そうだから
□ 好きな作家だから	□ 好きな分野の本だから

●最近、最も感銘を受けた作品名をお書きください

●あなたのお好きな作家名をお書きください

●その他、ご要望がありましたらお書きください

住所	〒				
氏名		職業		年齢	
新刊情報等のパソコンメール配信を 希望する・しない		Eメール	※携帯には配信できません		

あなたにお願い

この本の感想を、編集部までお寄せいただけたらありがたく存じます。今後の企画の参考にさせていただきます。Eメールでも結構です。

いただいた「一〇〇字書評」は、新聞・雑誌等に紹介させていただくことがあります。その場合はお礼として特製図書カードを差し上げます。

前ページの原稿用紙に書評をお書きの上、切り取り、左記までお送り下さい。宛先の住所は不要です。

なお、ご記入いただいたお名前、ご住所等は、書評紹介の事前了解、謝礼のお届けのためだけに利用し、そのほかの目的のために利用することはありません。

〒一〇一－八七〇一
祥伝社黄金文庫編集長　萩原貞臣
☎〇三（三二六五）二〇八四
ohgon@shodensha.co.jp

祥伝社ホームページの「ブックレビュー」からも、書けるようになりました。
www.shodensha.co.jp/bookreview

祥伝社黄金文庫

日本《にほん》と台湾《たいわん》
なぜ、両国《りょうこく》は運命共同体《うんめいきょうどうたい》なのか

令和4年11月20日　初版第1刷発行

著　者　加瀬英明《かせひであき》
発行者　辻　浩明
発行所　祥伝社《しょうでんしゃ》
〒101－8701
東京都千代田区神田神保町3－3
電話　03（3265）2084（編集部）
電話　03（3265）2081（販売部）
電話　03（3265）3622（業務部）
www.shodensha.co.jp
印刷所　萩原印刷
製本所　ナショナル製本

Printed in Japan　© 2022, Hideaki Kase　ISBN978-4-396-31826-0 C0122